MON PREMIER DICTIONNAIRE

L'ATTRAPE MOTS

GERMAINE FINIFTER

Préface d'Aline Roméas
Professeur d'École Normale

Illustrations de Elisabeth Bogaert, Chica, Françoise Dirat,
Marianne Kaufmann et Gérard Marié

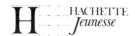
HACHETTE *Jeunesse*

La découverte de l'écrit par l'enfant se fait d'abord, le plus souvent, dans un état de grande dépendance par rapport à l'adulte, possesseur du savoir. L'enfant développe peu à peu son bagage de mots écrits connus par les rencontres que ses lectures lui permettent de faire dans le domaine de la langue. Mais sa vraie conquête s'opère quand il commence à pouvoir répondre par lui-même à son propre questionnement, quand il devient capable d'utiliser les outils lui permettant de préciser à la fois le sens des mots et leur forme.

D'où l'importance pour un enfant qui commence à lire et à écrire de pouvoir se servir d'un dictionnaire, outil de repérage et de vérification des mots connus, mais aussi outil de découverte de mots encore méconnus ou inconnus. Il est donc capital que la rencontre du dictionnaire soit satisfaisante pour lui, qu'elle le renseigne, l'intéresse, le stimule.

Construire un tel outil pour de jeunes lecteurs est une tâche difficile. Il faut éviter, d'une part, l'abstraction de définitions qu'un enfant de six à huit ans ne peut comprendre, d'autre part l'infantilisme de contextes tout à fait artificiels supposés à la portée des enfants mais inspirés par une conception restrictive et surannée de l'enfance.

Le grand mérite de Germaine Finifter me semble être, dans la composition de ce dictionnaire, la recherche d'un vocabulaire qui recoupe les préoccupations, les intérêts et les besoins d'un enfant de six à huit ans aujourd'hui. Sa réussite vient sans doute d'avoir su projeter dans les courts écrits servant de contexte aux mots proposés, sa connaissance des enfants et l'intérêt très direct qu'elle leur porte.

Mais c'est surtout la sincérité, l'honnêteté de son engagement personnel qui me frappent. Elle assume pleinement, en effet, une attitude d'adulte conscient de son rôle de médiateur auprès de l'enfant.

Le souci de rester simple, d'évoquer des situations capables d'éclairer le ou les sens des mots ne s'accompagne jamais de démagogie. C'est un effort à sa portée qui est demandé à l'enfant. Dans les textes qui présentent les mots, la permanence de certains noms propres fait entrer les petits lecteurs dans un monde où des enfants semblables à eux vivent, avec des adultes, dans des situations variées diverses, affirment des différences sensibles. Je pense que beaucoup d'enfants peuvent se reconnaître à travers ces textes.

C'est une condition essentielle pour qu'ils ouvrent ce dictionnaire avec plaisir lorsqu'ils en auront besoin, pour qu'ils se laissent entraîner de mot en mot, au fil de leurs premières recherches, découvrant ainsi, très tôt, le plaisir de ces promenades buissonnières dont certains adultes restent friands. Répondant aux besoins précis de l'enfant qui cherche à s'exprimer par écrit ou à mieux comprendre l'écrit, ce dictionnaire lui offre aussi l'occasion d'aiguiser cette curiosité à l'égard du langage, ce goût à la fois intellectuel et sensuel des mots, qui favorisent et accompagnent la maîtrise de la langue.

Aline Roméas, *Professeur d'École Normale*

NOTES DE L'ÉDITEUR

Mots soulignés : Ils sont toujours de la famille du mot qui est à l'entrée du paragraphe. Exemple : déboiser, reboiser, boiserie et bûcheron sont de la famille du mot **bois**.

Ce petit carré noir ■ à l'intérieur d'un paragraphe signale que le mot à l'entrée ou un mot de sa famille est utilisé dans des situations différentes. Exemple : pour sécher, il est d'abord question de sécher des cheveux. Ensuite, il est question de la sécheresse dont les plantes sont victimes.
Le petit carré noir sépare aussi deux phrases où le mot a la même signification, mais où le contexte est différent. Exemple : pour quai, il est d'abord question des quais dans un port, puis dans une gare.

Abeille

Un insecte s'est posé sur une fleur. Son corps, de forme allongée, est rayé de jaune et de brun. C'est une <u>abeille</u>. Elle s'envole pour rejoindre les autres <u>abeilles</u> de la ruche. Elle y fait le miel avec ce qu'elle a pris aux fleurs.

Abîmer

Quand je prête des jouets à Camille, je ne peux plus les utiliser : il <u>abîme</u> tout. Il a déchiré les pages de mon livre : mon livre est <u>abîmé</u>.

Abondance

Nous avons vraiment beaucoup de pommes : quelle <u>abondance</u> ! La récolte de fruits est <u>abondante</u>. J'ai été <u>abondamment</u> servi : je ne pourrai sûrement pas tout manger.

Aboyer

Je voudrais que mon chien cesse d'<u>aboyer</u> : sa voix est si forte que ses <u>aboiements</u> s'entendent de loin.

Abri

Mon chien entre dans sa niche quand il pleut. Là, il est à l'<u>abri</u>. Moi, je reste dehors, car je peux m'<u>abriter</u> sous un parapluie.
A la station des autobus, il y a un <u>abri</u> pour les gens qui attendent.

Abricot

L'<u>abricot</u> est un fruit de l'été. Sa chair est jaune orangé. Son noyau est lisse.
L'<u>abricot</u> pousse sur un arbre : l'<u>abricotier</u>.

Accélérateur

Papa conduit sa voiture. Pour rouler plus vite, il appuie le pied sur l'<u>accélérateur</u>. Il <u>accélère</u> chaque fois qu'il veut dépasser un autre conducteur.

Accepter

J'ai proposé à maman de faire les courses. Elle n'a pas refusé. Au contraire, elle a <u>accepté</u>. J'ai eu une bonne idée : une idée <u>acceptable</u>.

Accompagner

Je n'aime pas aller seule à l'école. Je demande à maman de m'<u>accompagner</u>. C'est agréable de faire la route en sa <u>compagnie</u>. Ensemble, nous sommes deux amies, deux <u>compagnes</u>.

Accroupir (s')

Ma petite sœur s'amuse dans son parc. Pour jouer avec elle, je dois me baisser. Je m'assois sur mes talons : je m'<u>accroupis</u>.

8

Acheter

Nous n'avons plus de viande
à la maison. Nous irons en <u>acheter</u>
chez le boucher. Nous payerons
notre <u>achat</u> avec de l'argent.

Admirable

Il a neigé. Le paysage est d'une beauté
étonnante, tout à fait <u>admirable</u>.
Je peux rester des heures à l'<u>admirer</u>.
Daniel ne comprend pas
mon <u>admiration</u>. Lui, il n'a de regards
<u>admiratifs</u> que pour les champions.

Adroit

Caroline sait faire mille et une choses
de ses mains. Elle est très <u>adroite</u>.
Elle lance son cerf-volant avec <u>adresse</u>.
Elle s'y prend tellement bien,
si <u>adroitement</u>, que le cerf-volant
vole très très haut.

Affiche

Les murs de la rue sont couverts
d'<u>affiches</u> de toutes sortes.
Un <u>afficheur</u> a collé ces grandes images.
Elles annoncent aux passants
les spectacles nouveaux ou tout
ce qu'on peut acheter dans les magasins.

Agitation

Ce matin, la classe est animée.
Des enfants se déplacent, se bousculent,
font du bruit. « Qu'est-ce que c'est que
cette <u>agitation</u> ? demande la maîtresse.
Quand vous serez moins <u>agités</u>,
je vous raconterai une histoire. »

Agneau

L'<u>agneau</u> est le petit de la brebis
et du bélier. Pour se nourrir,
il tète les mamelles de sa mère.
C'est un mammifère. Sa laine est douce.

Agréable

J'aime chanter, danser, jouer
avec des amis. Faire ce qu'on aime,
c'est vraiment <u>agréable</u>. Il y a des gens
qui ne sont jamais contents : ils sont
souvent <u>désagréables</u>.

Agriculteur

Quand je serai grand,
je vivrai à la campagne.
Je travaillerai la terre des champs.
Je labourerai, je sèmerai, je récolterai.
Je serai <u>agriculteur</u>. Pour les travaux
difficiles, j'utiliserai des machines
<u>agricoles</u>.

Aider

J'ai beaucoup de choses à ranger.
Je finirai plus vite si Claude veut bien
m'<u>aider</u>. Je lui ai demandé de l'<u>aide</u>
et il a accepté. Il range avec moi.
Il m'<u>aide</u> aujourd'hui, je l'<u>aiderai</u> demain :
nous nous <u>entraidons</u>.

Aigle

L'<u>aigle</u> est un grand oiseau qui vole
très haut grâce à ses larges ailes.
Il habite sur le sommet des montagnes.
Il voit de loin et se nourrit des animaux
qu'il attaque par surprise.
C'est un rapace. Son bec est crochu,
ses griffes sont puissantes.

Aile

Les oiseaux volent parce qu'ils ont
des <u>ailes</u>. Pour voler, les oiseaux
déploient leurs <u>ailes</u>. Certains insectes
sont aussi des animaux <u>ailés</u>.

Aimer

Paul recherche la compagnie de Virginie.
Il est heureux quand il est avec elle.
C'est parce qu'il l'<u>aime</u>. Elle aussi doit
l'<u>aimer</u>, car elle ne sait quoi inventer
pour lui faire plaisir.
Je suis sûr qu'ils sont <u>amoureux</u>
l'un de l'autre, qu'ils ont de l'<u>amour</u>
l'un pour l'autre.

Ajouter

Avec un seul morceau de sucre,
mon café n'était pas assez sucré.
J'ai dû en <u>ajouter</u> un autre morceau,
un de plus.

Album

Papa et maman lisent des livres sans
images. Moi, j'ai des <u>albums</u>.
Ils sont plus grands que leurs livres
et ils sont illustrés de dessins
ou de photographies.

Ami

De tous mes camarades de classe,
Roland est celui que je préfère.
Il est mon <u>ami</u> comme je suis le sien.
Nous ne nous disputons pas, nous
discutons <u>amicalement</u>. Pour lui prouver
mon <u>amitié</u>, je lui ai offert un objet
auquel je tenais beaucoup.

Ananas

L'<u>ananas</u> est un gros fruit de forme
allongée. Sa peau, de couleur brun
rouge, a des reliefs en forme d'écailles.
Sa chair jaune est sucrée, parfumée
et très juteuse. L'<u>ananas</u> est un fruit
des pays chauds.

Ancien

J'ai des chaussons neufs. Ils remplacent
mes <u>anciens</u> chaussons devenus
trop petits. ■ La maison où nous
allons maintenant en vacances
est une <u>ancienne</u> ferme. <u>Anciennement</u>,
il y a longtemps, des fermiers y élevaient
des poules, des vaches, des chevaux.

Ane

L'<u>âne</u> est un animal. Il est plus petit
que le cheval auquel il ressemble.
Son pelage, le plus souvent, est gris.
Il a une grosse tête avec de longues
oreilles. La femelle de l'<u>âne</u> est l'<u>ânesse</u>.
Leur petit est un <u>ânon</u>.

Animal

A l'école, nous élevons des cobayes,
des tortues. A la maison, nous avons
un chien, un chat et des poissons
rouges. J'aime tous les <u>animaux</u>,
même ceux de la ferme,
même ceux qui sont au zoo.
Ceux qui volent et ceux qui nagent.
J'aime moins les <u>animaux</u> rampants.

Anniversaire

Aujourd'hui, nous fêtons le jour de ma
naissance. C'est mon <u>anniversaire</u> et,
sur mon gâteau d'<u>anniversaire</u>,
il y a six bougies, car j'ai six ans.
Chaque année, à la même date,
la fête recommence avec une bougie
de plus puisque j'ai un an de plus.

Anorak

Pour partir en classe de neige,
maman m'a acheté un très bel <u>anorak</u>
rouge. Il est léger, chaud, imperméable,
avec une capuche qui protège
mes oreilles du vent et de la neige.

Apercevoir

La voiture est passée si vite que je n'ai
pas eu le temps de la voir nettement.
Je n'ai fait que l'<u>apercevoir</u>. Je croyais
être seul à la guetter, mais j'ai <u>aperçu</u>
Jean-Pierre penché à sa fenêtre.

Appartement

Nous habitons au troisième étage
d'une grande maison. Il y a deux portes
sur le palier. L'une est la porte
de l'appartement où je vis
avec ma famille. D'autres familles
habitent les autres appartements
de l'immeuble.

Appeler

Pierre ne me voit pas. Si je veux
qu'il vienne près de moi,
je dois l'appeler en criant son nom.
La maîtresse a un cahier d'appel
dans lequel elle a écrit les noms
des élèves. Tous les matins,
elle fait l'appel pour savoir
qui est présent, qui est absent.
Moi, je m'appelle Jean-Paul.
C'est mon prénom.

Applaudir

Au cirque, j'ai vu des acrobates
extraordinaires. J'ai tant frappé mes
mains l'une contre l'autre pour applaudir
qu'elles sont devenues toutes rouges.
Les artistes ont été très applaudis.

Apprendre

C'est la première fois que je vais
en classe de neige. Je vais apprendre
à skier. Un moniteur nous montrera
ce qu'il faut faire et comment le faire.
Pour le moment, les élèves apprennent
des chansons qu'ils chanteront
à la veillée.

Apprivoiser

Pussy était un petit chat craintif qui se sauvait dès que je tentais de le prendre. A force de patience et de douceur, j'ai réussi à l'<u>apprivoiser</u>. Il n'est plus sauvage, il est <u>apprivoisé</u>. Je crois qu'il m'aime, car il me suit partout.

Approcher

Viens près de moi, <u>approche-toi</u>, tu verras mieux. En passant, veux-tu prendre les bonbons et les <u>rapprocher</u> de moi ?

Aquarium

Chez le poissonnier, j'ai vu des truites qui nageaient dans un grand <u>aquarium</u>. Chez moi, il y a un <u>aquarium</u> plus petit avec deux poissons rouges. Parfois, ils se cachent parmi les plantes aquatiques ; je ne les vois plus malgré les parois de verre transparent de l'<u>aquarium</u>.

Araignée

L'<u>araignée</u> est une bestiole dont le petit corps et les huit grandes pattes sont velus. Elle s'installe parfois dans l'angle d'un plafond pour fabriquer un fil très mince avec lequel elle tisse une toile. La toile d'<u>araignée</u> est fine, légère et brillante.

Arbre

Après avoir égayé la maison, l'<u>arbre de Noël</u> a été replanté dans le jardin. C'est un sapin. J'ai vu ses racines bien étalées dans le trou creusé pour les enterrer. Son tronc est bien droit mais encore mince, car c'est un jeune <u>arbre</u>, un <u>arbrisseau</u>. Derrière la maison, il y a le verger où poussent les <u>arbres fruitiers</u> : pommiers, poiriers, pruniers, cerisiers …

Arc

Franck a pris une branche souple.
Il l'a courbée et a relié ses deux
extrémités par une corde,
puis il m'a dit : « Voici un <u>arc</u> ;
on va voir si tu es aussi bon <u>archer</u>
que Robin des Bois. »

Arête

Quand je mange du poisson,
je fais attention à bien séparer
la chair et les <u>arêtes</u>.
La grande arête est la colonne
vertébrale du poisson.

Arme

Les poings et les pieds ont été
les premières <u>armes</u> de l'homme.
Aujourd'hui, pour chasser, pour faire la
guerre ou la police, il existe des canons,
des mitraillettes, des fusils,
des pistolets, etc.
Quand des pays se font la guerre,
ils <u>arment</u> les soldats.

Armoire

Dans ma chambre, il y a une <u>armoire</u>
en bois où je range mes vêtements.
Maman a une <u>armoire</u> métallique
dans son bureau pour ses dossiers.
Dans la salle de bains, il y a une <u>armoire</u>
<u>de toilette</u> pour les objets
et les produits qui servent à la toilette.

Arracher

Emmanuel a tant tiré sur le bouton de son manteau qu'il l'a <u>arraché</u>.
■ Papa est occupé par l'<u>arrachage</u> des pommes de terre : il tire sur les tiges pour les sortir de terre.

Arranger

La chambre est en désordre et Marc arrive ce soir. Il faut l'<u>arranger</u> et la <u>ranger</u> pour qu'il puisse y dormir.
■ Ne laisse pas les fruits dans ce sac, <u>arrange</u>-les dans une coupe, ce sera plus joli. ■ Je ne peux pas passer, veux-tu te <u>déranger</u> ?

Arrêter

Voilà trois heures que nous roulons, il est temps d'interrompre notre voyage et de nous <u>arrêter</u> un moment.
Les enfants courent vers la route : <u>arrête</u>-les et retiens-les près de toi.
Nous irons ensemble à l'<u>arrêt</u> de l'autocar attendre Philippe.

Arrière

Papa et maman s'assoient sur le siège avant de la voiture, car ils conduisent chacun leur tour.
Nous, nous sommes toujours assis à l'<u>arrière</u>. Nous sommes <u>derrière</u> eux.
L'autre soir, nous sommes allés trop loin, nous avons dépassé la maison de Dominique ; nous avons dû revenir en <u>arrière</u>.

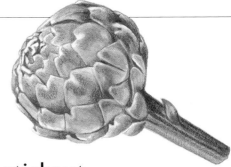

Arriver

Je dois partir à huit heures de chez moi si je veux <u>arriver</u> à l'heure à l'école. Pendant la récréation, nous avons fait une course, nous étions dix au départ. Il ne restait plus que six coureurs à l'arrivée.

Arroser

Il n'a pas plu depuis plusieurs jours et la terre est sèche. Il faut <u>arroser</u> les plantes, car elles ont besoin d'eau. J'ai rempli mon <u>arrosoir</u> et je l'ai vidé sur les fleurs. Papa s'est servi d'un tuyau d'<u>arrosage</u> pour que tout le potager soit <u>arrosé</u>.

Artichaut

L'<u>artichaut</u> est une plante. On le cultive pour le manger. Il a de nombreuses feuilles bien serrées autour d'un cœur qui a la forme d'une petite soucoupe ronde, creuse et remplie de poils.

Ascenseur

Quand j'entre dans la cabine de l'<u>ascenseur</u>, j'appuie sur le bouton marqué d'un huit. L'<u>ascenseur</u> monte tout droit jusqu'au huitième étage où j'habite. Papa monte quelquefois par l'escalier. Il dit qu'il s'entraîne pour faire une <u>ascension</u> en montagne.

Aspirer

J'ai soif ! Je prends une paille pour <u>aspirer</u> mon jus d'orange jusqu'à la dernière goutte. ■ Séverine a renversé le cendrier sur la moquette. Elle a pris l'aspirateur pour nettoyer. Les cendres ont été <u>aspirées</u>. Il n'y en a plus trace sur la moquette.

Astre

Le Soleil, la Lune, les étoiles sont des <u>astres</u> qu'on peut voir facilement dans le ciel. Il y en a d'autres qu'on ne peut observer qu'avec des lunettes d'approche, des lunettes <u>astronomiques</u>. Des <u>astronautes</u> sont allés sur la Lune à bord de vaisseaux spatiaux.

Astuce

Ce jeu n'est pas difficile, mais il faut être un peu malin pour le réussir ; il faut avoir de l'<u>astuce</u>. C'est un jeu bien imaginé, très <u>astucieux</u>.

Atelier

Mon père est menuisier.
Il travaille dans un <u>atelier</u> avec d'autres ouvriers. Dans l'<u>atelier</u>, il y a tout ce qui est nécessaire au travail : des outils, des machines, des établis et la réserve de bois.

Attacher

Attention ! tu as encore oublié d'<u>attacher</u> ta ceinture de sécurité.
■ Regarde ton paquet : la ficelle est <u>détachée</u>, il risque de tomber. ■ J'ai cousu une <u>attache</u> à ton manteau : tu pourras l'accrocher au vestiaire. ■ Les lacets de mes chaussures sont défaits. Si je ne les <u>rattache</u> pas, je vais sûrement tomber.

Attendre

Tu pars avec moi ? - Non, je reste devant l'école jusqu'à l'arrivée de maman. Elle m'a dit de l'<u>attendre</u> là. Je mange mon goûter en l'<u>attendant.</u> D'ailleurs, la voilà, l'<u>attente</u> n'a pas été longue. « C'est bien de m'avoir <u>attendue</u> », dit maman.

Attention

J'ai manqué la dernière marche et j'ai trébuché. J'étais distraite, alors je n'ai pas fait <u>attention</u>. Quand Séverine a crié : « <u>Attention</u> ! » pour m'avertir, c'était trop tard. Ce matin, nous avons observé les grands arbres de la cour. Nous les avons regardés <u>attentivement</u>. Nous étions <u>attentifs</u>.

Attirer

Corinne ne me remarque pas ; pourtant, j'essaie d'<u>attirer</u> son regard sur moi. Je ne sais pas pourquoi j'ai de l'<u>attirance</u> pour elle. Je me plais en sa compagnie : elle a quelque chose d'<u>attirant,</u> qui donne envie de rester près d'elle.

Attraper

Je voulais prendre mes patins, mais je n'ai pas réussi à les <u>attraper</u> : ils sont rangés trop haut.
■ Alain ne m'a pas attendu. J'ai dû courir pour le <u>rattraper</u>.
■ Maman nous a reproché d'être en retard : elle nous a <u>attrapés</u>.

Audace

Dans la cité, Emmanuel a été le premier à faire du skate-board. Il n'a peur de rien : il a de l'<u>audace</u>. Il a le courage de prendre des risques pour faire ce qui lui semble intéressant : il est <u>audacieux</u>.

Automobile

L'automobile est un moyen
de transport. C'est une voiture à
moteur qui a quatre roues et un volant.
L'automobiliste met le moteur en
marche et conduit l'automobile
en la guidant grâce au volant.

Autoroute

L'autoroute est une route très large,
le plus souvent à deux voies, réservées
chacune à un seul sens de circulation,
et sans croisements.

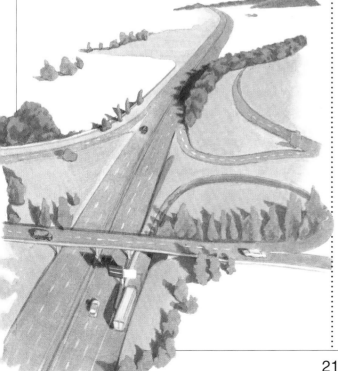

Avancer

Si tu ne veux pas rester en arrière,
il faut avancer plus vite. Patricia s'est
dépêcher et elle nous à devancés. Elle
est maintenant devant nous. Elle arrivera
peut-être en avance à l'école. En tout
cas, elle y sera avant nous.

Aventure

Il arrive toujours des choses étonnantes
à Fabienne. Elle aime ce qui est
nouveau, risqué, imprévu. Elle a le goût
de l'aventure. Elle a un esprit
aventureux.

Aveugle

Le frère de Dominique porte des
lunettes pour voir mieux. Jean-Pierre, lui,
ne voit pas du tout. Il est aveugle
depuis sa naissance. Il n'a jamais vu la
lumière, les formes, les couleurs.
Il lit avec les doigts dans des livres
spéciaux aux caractères en relief.

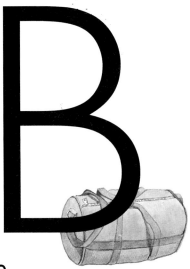

Bagage

Roland a une valise. Maman a préparé une malle. Jocelyne et Alain ont mis leurs affaires dans un grand sac ; papa arrive avec un paquet de livres sous le bras et ses appareils de photo en bandoulière ! Comment va-t-on transporter tous ces bagages ?

Bain

Je suis assise dans l'eau qui monte jusqu'à mes épaules. Je prends un <u>bain</u>.
■ Quand maman dit : « C'est l'heure de la <u>baignade</u> », nous courons vers la mer et nous nous jetons dans l'eau.

Balance

J'ai besoin de 500 grammes de farine pour faire un gâteau. Je pose un poids de 500 grammes sur un plateau de la <u>balance</u>. Je verse la farine sur l'autre plateau. Quand les deux plateaux sont à la même hauteur, j'ai pesé 500 grammes de farine.

Balançoire

« Regarde, Caroline, avec cette planchette et ces cordes que j'attacherai à une branche d'arbre, je te ferai une <u>balançoire</u>. »
Caroline se <u>balance</u>, elle va et vient d'avant en arrière.
Son <u>balancement</u> est régulier comme celui du <u>balancier</u> de la grosse horloge. Mais lui, il va et vient de gauche à droite, comme s'il battait la mesure.

Balayer

Isabelle et Patrick ont fait
des découpages il y a des papiers
partout. Il faut les balayer. Ce sera vite
fait avec le balai. Je pousse
sur le manche, et la brosse entraîne
les papiers, tous dans le même coin.
Le balayage est terminé, il faut ramasser
les balayures.

Baleine

La baleine est un gros animal.
Elle a la forme d'un poisson et vit dans
la mer. Ses petits sont des baleineaux.
Quand ils naissent, ils tètent leur mère,
car la baleine est un mammifère. La
baleine est un animal protégé.
Depuis 1986, il est interdit de la chasser
pour empêcher sa disparition.

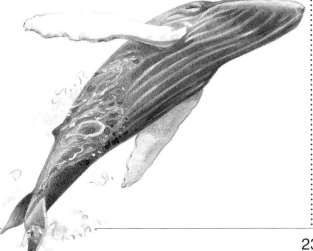

Banane

La banane est un fruit de forme longue
et courbe. Sa peau est épaisse ; sa chair
est tendre et crémeuse. Elle pousse
sur un bananier, un arbre des pays
chauds.

Barbe

Papa laisse grandir les poils qui poussent
sur le bas de son visage ; ça lui fait
une barbe qui me pique quand
je l'embrasse.
Clément n'est pas barbu, car il se rase
tous les jours. Avec papa, je joue à
« je te tiens par la barbichette ».

Barque

Pour nous promener sur la rivière, nous
avons une barque. C'est un petit bateau
que papa fait avancer en ramant.
Nous pouvons embarquer quatre
personnes dans notre embarcation.
Nous avons traversé la rivière
pour débarquer sur l'autre rive.

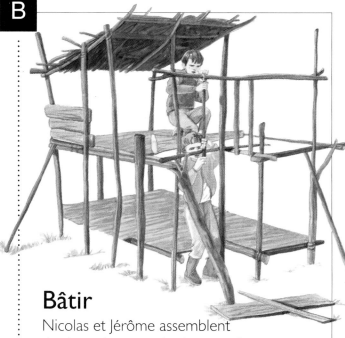

Bas

Mes livres sont placés trop haut,
je ne peux pas les prendre. Descends-
les plus <u>bas</u>, plus près du sol, s'il te plaît.

■ Je ne suis pas assez grand pour
atteindre la branche, mais si tu l'<u>abaisses</u>
vers moi, je réussirai à cueillir ces
prunes.

■ Nicolas s'est endormi, ne fais pas
de bruit. Parle à voix <u>basse</u> pour
ne pas le réveiller.

Bateau

J'aime tous les <u>bateaux</u> : les péniches
qui glissent lentement sur les rivières,
les grands paquebots qui traversent
les mers.
Le dimanche, papa m'emmène dans son
canot et j'essaie de me servir des
avirons pour le faire avancer.

Bâtir

Nicolas et Jérôme assemblent
des branches pour <u>bâtir</u> une cabane.
Ils construisent leur cabane
tout près d'un bâtiment où papa range
ses outils. Papa est maçon.
C'est lui qui a <u>bâti</u> notre maison.

Battre

En passant près de Paul, Pierre lui a fait
un croche-pied. Furieux, Paul a giflé
Pierre et ils ont continué à se <u>battre</u>
jusqu'à ce qu'on les sépare. Ils sont
aussi <u>batailleurs</u> l'un que l'autre.
C'est peut-être pour cela qu'ils aiment
les combats de boxe ? Moi, je préfère
jouer à la <u>bataille</u> navale.

Bavarder

Colin parle tout le temps. Pas seulement pour dire des choses intéressantes : il aime bavarder à propos de tout et de rien. Il nous fatigue avec ses bavardages.

Beau

Que ce paysage est beau ! C'est un plaisir pour les yeux. ■ La journée sera belle, il y a du soleil. ■ En grandissant, Sylvie a embelli, elle est devenue plus belle : sa beauté s'est épanouie.

Bec

La bouche des oiseaux, c'est leur bec. Il est dur. Les oiseaux se défendent parfois à coups de bec. Ils nourrissent leurs petits en leur donnant la becquée : ils déposent dans leur bec la nourriture qu'ils ont recueillie.

Bêler

Tous les soirs, à la même heure, les moutons bêlent. Quand la fermière entend leur bêlement, elle vient s'occuper d'eux.

Bercer

Nicolas a bu son lait. Sa maman doit le bercer dans ses bras en lui chantant une berceuse pour l'endormir. Après quoi, papa peut le coucher dans son berceau.

Berger

Le berger surveille le troupeau de moutons. Le chien de berger est spécialement dressé pour l'aider. Il ramène les moutons à la bergerie.

Beurre

Pour obtenir le <u>beurre</u>, il faut battre
la crème du lait des vaches. Le matin, je
me régale de pain frais bien <u>beurré</u>.
J'allais ranger le <u>beurrier</u>, mais Gérard
m'a demandé de lui <u>beurrer</u> une autre
tartine.

Bibliothèque

Je range mes livres sur une planche
installée près de mon lit.
C'est ma <u>bibliothèque</u>. Pour lire
plus de livres, je vais en chercher à
la <u>bibliothèque</u> municipale.
La <u>bibliothécaire</u> connaît les livres et
m'aide à choisir.

Biche

La <u>biche</u> est un animal. C'est la femelle
du cerf. Contrairement à lui, elle n'a pas
de « bois » sur le dessus de la tête.
Leur petit est un faon. Quand le cerf
appelle la <u>biche</u>, il brame.

Bière

La <u>bière</u> est une boisson mousseuse
faite à partir de deux plantes : les grains
de l'orge et les fleurs du houblon.

Blé

Le <u>blé</u> est une plante cultivée sur
de grandes étendues de terrain.
Les grains de blé sont envoyés dans
des moulins qui les écrasent et
les réduisent en farine.
C'est avec la farine du blé qu'on fait
le pain.

Blesser

« Ne joue pas avec ce couteau, tu vas te <u>blesser</u> ! » Bernard ne m'a pas écouté, il s'est coupé. Il a une vilaine <u>blessure</u> qui saigne. Ce n'est pas un <u>blessé</u> facile à soigner, car il est très douillet.

Blue-jean

Un <u>blue-jean</u> est un pantalon fait dans une épaisse toile de coton bleue.

Bœuf

Le <u>bœuf</u> est un gros animal dont la viande est utile à l'alimentation des hommes. Le <u>bœuf</u>, la vache, le taureau et le veau sont des <u>bovins</u>.

Bois

Je me promenais dans les <u>bois</u> pour écouter les oiseaux nichés dans les arbres. J'ai rencontré des bûcherons occupés à <u>déboiser</u>. Ils abattaient des arbres dont le <u>bois</u> sera utilisé pour fabriquer des meubles et des <u>boiseries</u> pour décorer les maisons. A l'automne, on plantera de jeunes arbres dans le bois, pour le <u>reboiser</u>.

Bondir

Le chat guette la souris. Il s'apprête à <u>bondir</u> sur elle. Il s'élance d'un <u>bond</u>, mais la souris s'est sauvée. ■ Je lance ma balle, elle <u>rebondit</u> sur le sol avant de s'élever à nouveau.

Bord

J'ai rempli ma tasse jusqu'au <u>bord</u>.
Quand je l'ai soulevée, le café
a <u>débordé</u>, il est passé par-dessus <u>bord</u>.
■ Notre maison est située en <u>bordure</u>
d'une rivière, le long du <u>bord</u>. On peut
même venir chez nous en bateau,
car la rive est <u>abordable</u>.

Botte

J'ai cueilli des poireaux, je les ai attachés
ensemble pour en faire une <u>botte</u>.
Je dois encore <u>botteler</u> les radis et
les carottes, puis transporter une <u>botte</u>
de paille à l'écurie. ■ Après cela,
je chausserai mes <u>bottes</u>. Ce sont des
chaussures qui couvrent le pied et une
partie de la jambe.

Boucher

Nous avons rempli les bouteilles
avec le vin nouveau. Il faut maintenant
les <u>boucher</u>. Ces <u>bouchons</u> de liège
les fermeront convenablement.
Dans quelque temps, nous
<u>déboucherons</u> une bouteille.
Nous nous servirons d'un <u>tire-bouchon</u>.

Boucherie

C'est dans une <u>boucherie</u> qu'on achète
la viande de bœuf, de veau, de mouton
et de porc. Le <u>boucher</u> découpe
la viande et la pèse. La <u>bouchère</u> est
souvent à la caisse.

Boulanger

Le <u>boulanger</u> fabrique le pain avec
la farine. Il travaille la nuit pour que
nous ayons du pain frais chaque matin.
Quand il va dormir, la <u>boulangère</u> ouvre
la <u>boulangerie</u> et commence à vendre
le pain.

Bouquet

J'ai cueilli des fleurs. Je les ai assemblées,
j'en ai fait un <u>bouquet</u> que j'ai mis dans
un vase.

Bourgeon

C'est le printemps. Les branches
des arbres se couvrent de <u>bourgeons</u>.
Elles <u>bourgeonnent</u> et on devine déjà
les tiges, les fleurs, les feuilles qui
se préparent à sortir des <u>bourgeons</u>.

Bousculer

La cloche a donné le signal de la sortie
des classes. Tout le monde se précipite
en même temps. Sans le vouloir,
Dominique m'a <u>bousculé</u>.
Dans la <u>bousculade</u>, j'ai cassé
mes lunettes.

Branche

Le tronc des arbres porte des <u>branches</u>
sur lesquelles poussent des feuilles,
des fleurs et des fruits. Les oiseaux font
leurs nids dans les <u>branchages</u>. Le laurier
du jardin est trop <u>branchu</u>, ses <u>branches</u>
sont trop serrées. Le jardinier va
l'<u>ébrancher</u>, il enlèvera quelques
<u>branches</u>.

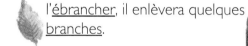

Brave

Quand Jérôme s'est blessé, il n'a pas
pleuré. Pourtant, il avait mal, mais il est
très <u>brave</u>. Il ne s'est pas plaint quand on
lui a fait le pansement. Il a supporté cela
<u>bravement</u>. Ses copains l'ont félicité
pour sa <u>bravoure</u>.

Bricolage

Il y a toujours des petits travaux à faire
à la maison. Heureusement,
mes parents sont très adroits et
sont capables de réaliser toutes sortes
de <u>bricolages</u>. Moi aussi je suis
<u>bricoleuse</u> : j'ai installé une étagère
pour y mettre mes livres.

Brosse

J'ai acheté une <u>brosse</u> à dents.
Je me <u>brosse</u> les dents matin et soir.
■ Patrick a les cheveux en <u>brosse</u>.
Ils sont coupés court et restent tout
droits comme les poils d'une <u>brosse</u>.

Brûler

J'ai rentré du bois pour faire du feu
dans la cheminée. Le bois <u>brûle</u> en
faisant des flammes claires. On a fait
cuire des pommes de terre
sous la cendre. «Prends garde en les
retirant : elles sont <u>brûlantes</u>. »
Depuis que je me suis <u>brûlé</u>,
je fais attention.
J'avais des <u>brûlures</u>
sur les mains.
C'est douloureux !

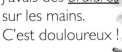

Brusque

Quel changement <u>brusque</u>, tout à fait
imprévu ! Il faisait beau, le temps
a changé <u>brusquement</u> et, soudain,
l'orage a éclaté.
■ J'ai deux camarades,
mais je préfère la tranquillité
de Dominique à la <u>brusquerie</u>
de Camille.

Cacher

Je ne veux pas que Franck trouve mon paquet de bonbons ; je vais le <u>cacher</u>. Mais où ? Quelle <u>cachette</u> sera assez secrète ? ■ Je n'aime pas jouer à <u>cache-cache</u> avc lui parce que c'est toujours lui qui est <u>caché</u> et moi qui dois le chercher.

Cadence

Voyez comme elle danse ! Elle n'écoute pas la musique, alors, bien sûr, elle n'est pas en mesure. Elle se moque de la <u>cadence</u> ! Elle ne suit pas le rythme <u>cadencé</u> de la valse, elle est à contre-temps.

Camion

Les transports de marchandises se font souvent par <u>camions</u>. L'arrière du <u>camion</u> est une sorte de hangar roulant où sont entassées les marchandises livrées par les <u>camionneurs</u>.

Camper

C'est décidé, nous allons <u>camper</u>. Nous dormirons sous la tente et ferons la cuisine en plein air. Nous cherchons un terrain de <u>camping</u> bien situé où les <u>campeurs</u> ne sont pas serrés les uns contre les autres.

Caprice

Julien est d'humeur changeante.Il a sans cesse de nouveaux <u>caprices</u>.Il est si <u>capricieux</u> qu'il en devient insupportable.

Carotte

La <u>carotte</u> est une plante. On la cultive pour manger sa racine orange et sucrée. Les lapins se régalent de sa <u>tige</u> et de ses feuilles.

Casque

Des ouvriers démolissent un vieil immeuble. Ils sont coiffés d'un <u>casque</u> qui les protège contre la chute des pierres. Jean-Claude peut prendre sa moto : ganté, botté, <u>casqué</u>, il est parfaitement équipé.

Casser

Attention à ce vase en porcelaine ! Il risque de se <u>casser</u>. Quand il sera en morceaux, on pourra le jeter. Ce n'est pas un objet <u>incassable</u>, il est fragile.

Cauchemar

J'ai mal dormi cette nuit. Dans mon sommeil, j'ai imaginé une histoire affreuse. C'est un <u>cauchemar</u> qui me laisse une impression très pénible.

Cendre

Quand le bois a brûlé complètement, il ne reste que la <u>cendre</u>, fine, légère et grise.
■ Prends ce <u>cendrier</u>, tu y déposeras la <u>cendre</u> de la cigarette que tu fumes.

Cercle

Tous les enfants se donnent la main
pour faire une ronde, sauf un
qui est entré dans le <u>cercle</u>.
Il est <u>encerclé</u> par la ronde. ■ J'emporte
mon <u>cerceau</u> au jardin. C'est un <u>cercle</u>
de bois que je fais rouler en le poussant
avec un bâton.

Cerise

La <u>cerise</u> est un fruit de l'été. Elle est
ronde, rouge et brillante avec un petit
noyau lisse. Les <u>cerises</u> poussent
sur un arbre : le <u>cerisier</u>.

Chagrin

J'ai perdu un livre auquel je tenais
beaucoup. J'en suis contrarié, j'ai
du <u>chagrin.</u> Maman voudrait
me consoler ; elle dit que je ne dois pas
me <u>chagriner</u>, qu'un livre perdu
peut être remplacé.

Chahuter

Dans la classe, ce matin, on ne s'entend
pas. Tout le monde parle en même
temps ; c'est le désordre complet.
Le maître se fâche :
« Cessez de <u>chahuter</u>. On ne peut pas
travailler dans un tel <u>chahut</u>. »

Champ

J'habite la campagne.
A droite de ma maison, il y a un pré
où des moutons et des vaches viennent
paître. .A gauche, sur une grande
étendue, il y a des <u>champs</u>.
Mon père y cultive du blé et du maïs.

Champignon

Les <u>champignons</u> sont des plantes qui poussent en terrain humide, souvent au pied des arbres. Ils ont une tige épaisse surmontée d'une sorte de chapeau. Certains sont délicieux alors que d'autres contiennent un poison violent.

Champion

Claude a participé à une course cycliste. Il est arrivé le premier. Il était le vainqueur. Pour nous, c'est déjà un <u>champion</u>, puisque c'est le meilleur de notre ville. Mais, pour devenir <u>champion</u> du monde, il devra s'entraîner et participer à de nombreux <u>championnats</u>.

Changer

Je vais à la bibliothèque rendre les livres que j'ai lus. J'en prendrai d'autres que je n'ai pas lus : je vais <u>changer</u> mes livres.
■ Martine est d'humeur <u>changeante</u>. On ne sait jamais si on la trouvera de bonne ou de mauvaise humeur.
■ J'ai donné ma montre à Fabrice qui m'a donné sa boussole ; nous avons fait un <u>échange</u>.

Chanter

Je voudrais <u>chanter</u> comme Sylvie. Elle a une voix agréable à écouter, une voix musicale. Elle a d'ailleurs pris des cours de <u>chant</u>. C'est maintenant une excellente <u>chanteuse</u>. Connais-tu la chanson qu'elle <u>chante</u> ? - J'en connais l'air, mais pas les paroles.

Chantier

Derrière la palissade, des hommes conduisent des machines qui creusent la terre. D'autres conduisent des camions pleins de sable, de pierres, de bois, de fer, de toutes sortes de matériaux. C'est un <u>chantier</u> de construction. Ils construisent une maison.

Charger

Viens m'aider à <u>charger</u> le camion. Il faut y faire entrer tous ces colis.
Nous démarrerons aussitôt que le <u>chargement</u> sera terminé. Il faut arriver avant la nuit pour avoir le temps de <u>décharger</u>.

Chasser

Papa est parti <u>chasser</u> le lièvre.
C'est un <u>chasseur</u> habile. Il vise l'animal avec son fusil et ne le manque pas.
Je ne l'accompagne jamais, car je n'aime pas la <u>chasse</u>.

Chat

Le <u>chat</u> est un animal à poil doux.
Il ronronne quand on le caresse. Il a des oreilles pointues, de longues moustaches, des griffes et des yeux qui brillent surtout la nuit. La femelle du <u>chat</u> est la <u>chatte</u>. Elle nourrit ses <u>chatons</u> de son lait. Le <u>chat</u> miaule.

Chaud

Mange ton potage pendant qu'il est
chaud, ne le laisse pas refroidir,
il faudrait le réchauffer.

■ Il me semble que tu es habillé bien
chaudement pour le temps qu'il fait
aujourd'hui.

Il ne fait pas froid à la maison, bien que
je n'aie pas allumé le chauffage. Je crois
que je n'aurais pas supporté la chaleur
du radiateur.

Chausser

Ne marche pas pieds nus,
va te chausser !
Si tu ne sors pas, mets tes chaussons,
tes pieds seront plus à l'aise.
Si tu sors, mets tes chaussures,
et surtout, n'oublie pas de mettre
des chaussettes !

Chef

Nicolas m'agace : il veut toujours diriger,
tout le temps commander !
Il se prend pour un chef.

■ Sur son chantier, papa est chef
d'équipe. Il est responsable du travail
des ouvriers qui sont avec lui.

Chêne

Le chêne est un grand arbre
dont le tronc peut devenir très gros.
On utilise le bois du chêne
pour fabriquer des meubles solides.

Chenille

La chenille est une petite bête velue,
allongée, qui rampe. Elle ronge
les feuilles pour se nourrir et se fabrique
une enveloppe - un cocon -
où elle s'abrite le temps
de se transformer en papillon.

Chercher

Quand je lance une balle, mon chien va la <u>chercher</u> et me la rapporte.
■ Je ne sais pas où j'ai rangé mon livre. Je l'ai <u>cherché</u> partout, dans l'armoire, sous le lit, sans le trouver. Je poursuivrai mes <u>recherches</u> demain, car Michel vient me <u>chercher</u>.

Cheval

Le <u>cheval</u> est un animal domestique. On l'utilisait autrefois pour les transports, mais les voitures, les camions et le train l'ont remplacé.
■ Monter à <u>cheval</u> est un sport agréable. Je regarde souvent les <u>cavaliers</u> passer dans certaines allées, dans les allées <u>cavalières</u>, réservées aux <u>chevaux</u>. La femelle du <u>cheval</u> est la jument. Leur petit est un poulain. Le <u>cheval</u> hennit.

Cheveu

Quand il est né, Hervé n'avait pas de <u>cheveux</u> sur la tête. Depuis, ils ont poussé. Il a maintenant une <u>chevelure</u> épaisse qu'il ne prend pas toujours la peine de coiffer. Il est souvent <u>échevelé</u>.

Chèvre

La <u>chèvre</u> est un animal à cornes. Elle a un pelage à poils longs. Elle se nourrit d'herbe et grimpe facilement sur les talus pour la brouter, et redescend en sautant. On trait les <u>chèvres</u> pour prendre leur lait. On en fait du fromage. Le mâle de la <u>chèvre</u> est le bouc. Leur petit est un <u>chevreau</u>. La <u>chèvre</u> bêle.

Chien

Le <u>chien</u> est un animal domestique.
Il vit depuis longtemps
dans la compagnie des hommes.
La femelle du <u>chien</u> est la <u>chienne</u>.
Leur petit est un <u>chiot</u>.
Il tète sa mère pour se nourrir.
Le <u>chien</u> aboie.

Chiffon

Mon tablier est usé.
Il est tout juste bon à faire des <u>chiffons</u>.
Je les garderai pour essuyer
mes pinceaux.
■ Je me suis assise par terre,
j'ai froissé ma jupe ; elle est <u>chiffonnée</u>.

Chiffre

Il n'y a que dix <u>chiffres</u> :
1 . 2 . 3 . 4 . 5 . 6 . 7 . 8 . 9 . 0.
Et cela suffit pour écrire tous les
nombres et tout calculer de toutes les
manières.
On peut faire des nombres à deux, trois
<u>chiffres</u> ou même davantage.
J'ai <u>chiffré</u> les pages de mon cahier.
Je les ai numérotées à partir de 1.
J'en ai compté 100.

Chocolat

On fabrique le <u>chocolat</u>
avec des amandes de cacao écrasées,
mélangées à du sucre.
J'aime les boissons <u>chocolatées</u>.

Choisir

J'ai envie d'une glace,
mais je ne sais quel
parfum <u>choisir</u>, il y en a tant !
Il faut pourtant que je me décide
pour l'un ou pour l'autre.
Ça y est, j'ai fait mon <u>choix</u> :
j'ai <u>choisi</u> la glace à la fraise.

Chômage

Papa ne travaille plus. Son chantier est
fermé et les ouvriers sont renvoyés.
Ils sont en <u>chômage</u>. Ce n'est pas leur
faute s'ils sont <u>chômeurs</u> : ils ont été
privés de leur travail.

Chuchoter

Approche-toi, je voudrais te <u>chuchoter</u>
quelques mots à l'oreille pour que
personne d'autre n'entende.
- Parle plus distinctement, car je ne
comprends rien à tes <u>chuchotements</u>.

Cicatrice

Tu vois ces marques sur mes mains ? Ce
sont des <u>cicatrices</u> de brûlures. Les
plaies étaient importantes, mais je les ai
soignées et elles ont <u>cicatrisé</u> assez
rapidement.

Ciel

J'entends un avion. Je lève la tête pour
voir la trace blanche qu'il laisse dans le
<u>ciel</u> bleu. Des nuages légers passent
devant le Soleil qui brillait haut dans le
<u>ciel</u>. Quand il sera couché, la Lune se
lèvera et, au-dessus de nos têtes, le <u>ciel</u>
sera étoilé.

Cigogne

La cigogne est un oiseau qui a de longues pattes, un long bec droit et rouge.Son plumage est blanc.
Elle construit son nid sur les cheminées des maisons et l'abandonne, l'hiver, pour s'en aller dans les pays chauds.

Cinéma

J'aime le cinéma, surtout les films avec des Indiens. ■ Maman a une caméra. Quand elle voyage, elle filme ce qui l'intéresse. Au retour, quand ses films sont développés, elle les projette. C'est moi qui installe l'écran.

Circuler

Il y avait un attroupement près d'une personne étendue par terre. Quand l'agent est arrivé, il s'est écrié : « Allons, messieurs, voulez-vous circuler ! Ne restez pas sur place, avancez. Vous gênez la circulation, on ne peut plus passer ! »

Ciseaux

Je tiens les ciseaux en passant mes doigts à travers les anneaux. En écartant les doigts, j'ouvre les deux lames coupantes réunies en leur milieu par une vis. Je les referme sur ce papier. Et voilà, il est découpé ! ■ Le jardinier se sert de cisailles pour tailler les haies. Elles n'ont pas d'anneaux, mais deux poignées.

Citron

Le citron est un fruit à la peau jaune clair, épaisse et grumeleuse. On presse les citrons pour en extraire le jus d'un goût acide.
On fait de la citronnade en ajoutant de l'eau et du sucre au jus de citron. Les citrons poussent sur les citronniers.

Clair

Le Soleil est levé, il fait jour.
On voit clair sans avoir besoin d'allumer les lampes. C'est plus agréable que de s'éclairer à l'électricité ! La clarté du jour entre dans la maison par les fenêtres.
■ J'ai bu une eau claire, limpide, transparente. ■ Le bleu marine est un bleu foncé. Le bleu ciel est un bleu clair.

Classe

Je ne suis pas dans la même classe que Jérémie. Nous n'avons pas le même âge. Dans sa classe les élèves apprennent à lire.
Dans la mienne, ils savent déjà.
Notre salle de classe est accueillante. Les chaises et les tables sont disposées en cercle. Sur les murs, il y a des dessins et des affiches.

Clé

Pour ouvrir ou fermer les portes munies d'une serrure, il faut une clé.
J'ai réuni la clé de l'immeuble et celle de l'appartement sur un porte-clés.
Mes parents ont aussi un trousseau de clés pour la voiture.

Clignoter

Une lumière trop vive fait clignoter mes yeux : ils s'ouvrent et se ferment malgré moi.
■ De chaque côté des voitures, il y a des feux clignotants.
Ils s'allument et s'éteignent pour indiquer la direction que va prendre la voiture.

Clou.

Pour fixer la moquette au sol,
le tapissier a utilisé des clous.
Ce sont des petites tiges de métal
pointues. Pour clouer, on plante la
pointe du clou en le maintenant droit.
On frappe sur le clou avec un marteau
jusqu'à ce qu'il soit enfoncé.

Clown

Le clown est un artiste de cirque.
C'est un personnage comique dont
le maquillage, le costume et les blagues
font rire le public.

Coccinelle

La coccinelle est un insecte. Elle est
petite, de forme ronde et bombée, de
couleur rouge vif avec des points noirs.
Elle vient trotter sur ma main et
s'envole soudain.

Cochon

Le cochon est aussi appelé porc. C'est
un animal élevé pour la consommation
de sa viande. Son corps rose pâle est
couvert de poils soyeux. On appelle son
museau : un groin.

Coiffer

Au réveil, mes cheveux sont en désordre. Je les peigne, je les brosse pour me <u>coiffer</u>. Avec mes cheveux longs, j'avais toujours l'air <u>décoiffée</u>. J'ai changé de <u>coiffure</u>. Je suis allée chez le <u>coiffeur</u> me faire couper les cheveux.

Col

Le <u>col</u> de mon chemisier fait exactement le tour de mon <u>cou</u>.
■ J'enfile mon pull-over en passant ma tête par l'<u>encolure</u>.
■ En été, je porte des robes <u>décolletées</u>. Leur <u>encolure</u> s'arrête loin du <u>cou</u>.

Colère

Lorsque Mathias est contrarié, mécontent ou vexé, il devient violent, crie et trépigne. Il a des accès de <u>colère</u>. C'est un enfant <u>coléreux</u>.

Collection

Je garde ensemble tous les autocollants qu'on me donne. J'en fais <u>collection</u>. Tous mes copains sont <u>collectionneurs</u>. Pierre <u>collectionne</u> les timbres, Martine a une <u>collection</u> de petites boîtes.

Commencer

J'ai trois courses à faire. Je dois d'abord aller à la pharmacie. C'est par cette course-là que je vais <u>commencer</u>. Ensuite, j'irai à la boulangerie et, pour finir, je passerai à la librairie. J'achèterai le livre dont la maîtresse nous a lu le <u>commencement</u>, car j'ai envie de connaître la suite.

Compliqué

C'est un modèle difficile à faire. Tu devrais choisir quelque chose de plus simple, de moins compliqué. On dirait que tu aimes les complications : au lieu de simplifier ta tâche, tu cherches à la compliquer.

Comprendre

Il m'en a fallu des explications avant de comprendre comment fonctionne ma voiture mécanique ! Mon incompréhension étonnait papa. Il ne cessait de répéter : « Ce que je dis est pourtant clair, c'est compréhensible, je crois ! »

Compter

J'ai des bonbons pour nous deux, mais je ne sais pas combien il y en a pour chacun. Verse-les sur la table pour que je puisse les compter. Nous en aurons autant l'un que l'autre ; nous en aurons le même compte chacun.

Conduire

Si tu prends la voiture ce matin, je voudrais que tu m'emmènes avec toi pour me conduire chez Patricia. Bientôt, je pourrai y aller seule, car j'apprends à conduire une voiture.

Confier

Gladys est en sécurité quand elle est avec toi : je peux te la confier. - Tu peux te fier à moi et être tout à fait tranquille : je veillerai sur elle. - Je suis tranquille, car je peux avoir confiance en toi, je le sais.

Connaître

Chic ! Séverine vient avec son frère. Je vais enfin le <u>connaître</u>. Ce sera notre première <u>rencontre</u>, je ne l'ai encore jamais vu. J'avais envie de faire sa <u>connaissance</u> : il paraît qu'il est sympathique. ■ Ici, je ne peux jouer avec personne, il n'y a que des <u>inconnus</u>, des gens que je ne <u>connais</u> pas.

Consoler

Cyril pleure. Sa maman est sortie et il a du chagrin. Papa le prend dans ses bras et lui chante une chanson pour le <u>consoler</u>. Cela le distrait ; il s'apaise, le voilà <u>consolé</u> : son chagrin a disparu.

Construire

Papa a dessiné la maison qu'il veut faire bâtir. Il a acheté les matériaux nécessaires et engagé des ouvriers qui vont <u>construire</u> la maison avec lui.
■ Avec mon jeu de <u>construction</u>, j'ai bâti un village.

Content

J'ai un train électrique exactement comme je voulais. Je suis vraiment satisfait : je suis <u>content</u>. Quand Philippe a ouvert son paquet, il a fait la grimace. Il était <u>mécontent</u> de son cadeau. Il n'est pas facile à <u>contenter</u>.

45

Continuer

Je n'aime pas interrompre un travail commencé. Je préfère le <u>continuer</u> jusqu'à ce qu'il soit achevé. Je suis <u>continuellement</u> dérangé par quelqu'un qui vient frapper à ma porte. Cette fois, c'est Alain ! Si je ne lui ouvre pas, j'entendrai ses cris <u>continus</u>.

Contraire

Gérard dit que Claude l'a frappé, quel menteur ! C'est exactement le <u>contraire</u> qui s'est passé, c'est lui qui a frappé Claude. Habituellement, quand on l'ennuie, Claude pleure et c'est tout. Cette fois, <u>contrairement</u> à son habitude, elle n'a pas pleuré. Au <u>contraire</u>, elle a ri, car personne ne croyait Gérard.

Coq

Le <u>coq</u> est un oiseau de basse-cour. On le reconnaît, au milieu des poules qui sont ses femelles, grâce aux plumes multicolores de sa queue et à la crête rouge qui surmonte sa tête. Les petits du <u>coq</u> et de la poule sont des poussins.

Corde

La balançoire est suspendue au portique par des <u>cordes</u> très solides, faites de plusieurs fils épais tordus ensemble.
■ J'ai pris de longs brins de laine pour faire une <u>cordelière</u> assortie à mon pull-over.

Corps

Je suis un être vivant, alors j'ai un corps composé de la tête, du tronc et des membres. Ma peau l'enveloppe tout entier. Dessous, il y a la chair, les os et les veines dans lesquelles le sang circule.

Corriger

Le résultat de ton addition est faux, tu as fait une erreur de calcul. Nous allons corriger ensemble. Voilà, c'est fait ; maintenant, ton addition est juste. Nous avons fait la correction nécessaire.

■ Lorsque Thomas a déchiré les cahiers de Nicolas, il a reçu une fessée. Je ne sais pas si cette correction a été utile.

Cosmonaute

Moi, je serai cosmonaute : j'irai visiter les planètes dans un vaisseau spatial. C'est moi qui le conduirai.

Coucher

Va t'allonger sur ton lit.

- Je ne veux pas me coucher déjà.

- Repose-toi maintenant, car nous prenons le train ce soir pour voyager de nuit.

- J'aime bien dormir dans un compartiment à couchettes.

■ J'emporte mon sac de couchage pour les nuits où nous camperons : je m'y glisserai dès le coucher du Soleil.

Coude

Je plie mes bras pour poser mes coudes sur la table. C'est confortable, mais maman n'aime pas cela.

Coudre

Sylvie, donne-moi du fil et une aiguille pour <u>coudre</u> une attache à ton manteau.

- Si tu fais de la couture, n'oublie pas de <u>recoudre</u> l'ourlet <u>décousu</u> de ma jupe.

Couleur

Mes parents m'ont laissé un mur blanc dans ma chambre pour y mettre ce que je veux. J'ai pris ma boîte de peinture et j'ai tracé un grand arc-en-ciel sans oublier une des sept <u>couleurs</u> : violet, indigo, bleu, vert, jaune, orange, rouge.

Couper

Vous aurez chacun une part de tarte quand Paul m'aura apporté un couteau pour la <u>couper</u>.

■ Paul et Jacqueline ont pris les ciseaux pour <u>découper</u> des images.

■ Sylvie ne veut plus faire des <u>découpages</u> à cause d'une <u>coupure</u> qu'elle s'est faite à un doigt.

Courage

Roland monte un cheval pour la première fois. Il tombe, il a peur, il pleure mais veut recommencer aussitôt. Le moniteur le félicite pour son <u>courage</u>. Sa chute n'a pas <u>découragé</u> Roland. <u>Courageusement</u>, en sachant qu'il peut encore tomber, il est remonté à cheval.

Courir

Jean-Louis est parti sans m'attendre. Je serai obligé de <u>courir</u> pour le rattraper, car il marche vite.

■ La <u>course</u> à pied est un sport intéressant, mais je préférerais m'entraîner avec un autre coureur !

Couteau

Quand tu tends un <u>couteau</u> à quelqu'un,
ne le prends pas par le manche, mais
par la lame.
C'est moins dangereux.

■ Ce <u>couteau</u> coupe mal, tu devrais me
donner le <u>couteau-scie</u>, il est plus
pratique pour <u>couper</u> le pain.
Nous porterons l'autre chez un
<u>coutelier</u> pour lui demander de l'affûter,
de rendre la lame plus <u>coupante</u>.

Couvrir

Tu devrais <u>couvrir</u> la casserole pour
empêcher la vapeur de s'échapper aussi
vite. Prends ce <u>couvercle</u> et pose-le
dessus.
Pendant ce temps, je vais voir si
Fabienne n'est pas <u>découverte</u>, elle a la
manie de repousser sa couverture.

Cow-boy

J'ai dit à Patricia qu'un <u>cow-boy</u> c'est un
gardien de vaches. Elle ne m'a pas cru.
Et pourtant, c'est vrai !

Craie

J'écris sur mon ardoise avec des <u>craies</u>
blanches et des <u>craies</u> de couleur.
Elles se cassent facilement et déposent
de la poussière sur mes mains.
J'écris sur le papier avec des <u>crayons</u>
de couleur.

Craindre

Le médecin vient pour me faire une piqûre. Maman a beau dire : « Tu n'as rien à <u>craindre</u>, il ne te fera pas mal », je ne suis pas rassurée.
J'ai peur de ce que je ne connais pas, je suis <u>craintive</u>.

Crème

Quand on laisse reposer le lait cru, il se forme une couche de <u>crème</u>.
La fermière <u>écrème</u> le lait pour en retirer la <u>crème</u>. C'est avec la <u>crème</u> qu'elle fera le beurre.

Creuser

Enfonce bien la pelle dans le sol, sinon tu n'enlèveras pas assez de terre. Il faut <u>creuser</u> un trou large et profond pour y planter l'arbre que tu as vu dans le petit chemin plein de bosses et de <u>creux</u>.

Crier

Ne parle pas si fort ! Tu n'as pas besoin de <u>crier</u>, j'entends très bien quand tu parles normalement.
Je ne supporte pas le bruit que tu fais en <u>criant</u>. En tout cas, ne <u>crie</u> pas dans la maison, réserve tes cris pour l'extérieur !

Crinière

Paul se moque de mes cheveux raides qu'il compare aux longs poils rêches qui poussent au cou et à la queue des chevaux.
« Tes cheveux, ce sont de vrais <u>crins</u> ; ce n'est pas une chevelure que tu as, c'est une <u>crinière</u> ! » dit-il.

Crocodile

Le <u>crocodile</u> est un animal qui vit dans les rivières des pays chauds. C'est un reptile. Il a quatre courtes pattes, des mâchoires puissantes ; son corps est recouvert d'écailles.

Cueillir

Les tomates sont mûres, il est temps de les détacher de leurs tiges. Qui vient m'aider à les <u>cueillir</u> ?
Nous remplissons un panier avec les tomates que nous avons <u>cueillies</u>.
Toutes les tomates sont récoltées.
Nous avons fait une bonne <u>cueillette</u>.

Cuillère

Patrick refuse de manger son potage. Quand maman approche la <u>cuillère</u> pleine de sa bouche, il détourne la tête. Il faut pourtant qu'il en mange un peu, au moins quelques <u>cuillerées</u>.

Cuire

Manges-tu quelquefois de la viande hachée <u>crue</u> ? - Jamais ! Je fais toujours <u>cuire</u> la viande. Je la fais griller au feu de bois, je la fais rôtir dans un four. En tout cas, je la mange toujours <u>cuite</u>.
Je surveille la <u>cuisson</u>, car j'aime la viande <u>cuite</u> à point.

Cuisine

Je prépare les repas dans la <u>cuisine</u>.
Je fais cuire mes préparations sur la
<u>cuisinière</u>.
J'aime <u>cuisiner</u> et mes amis aiment la
<u>cuisine</u> que je fais. Ils disent que je suis
une bonne <u>cuisinière</u>, que je sais faire la
<u>cuisine</u>.

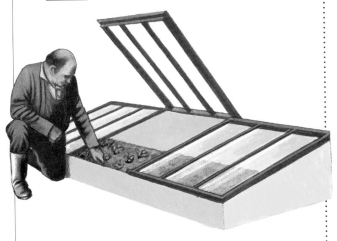

Cultiver

Je voudrais faire pousser des légumes
et <u>cultiver</u> aussi des fleurs.
Les travaux de <u>culture</u> sont nombreux.
Il faut défricher, bêcher, planter,
récolter. Un <u>cultivateur</u> a vraiment
beaucoup à faire avant de voir le
résultat de son travail.

Curieux

Pourquoi ? Comment ? Où ? Qui ?...
Cyril a toujours une question à poser.
Il est <u>curieux</u> de tout ! Il interroge tout
le monde et veut avoir des réponses à
ses questions. Il a beaucoup de <u>curiosité</u>,
il est très éveillé, il veut tout connaître,
tout comprendre.

Cygne

Le <u>cygne</u> est un bel oiseau blanc.
Il glisse sur l'eau grâce à ses pattes
palmées. Il y plonge son long cou élancé
pour trouver sa nourriture.

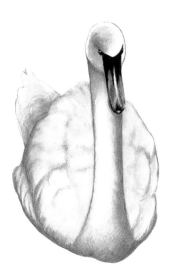

Dame

Regarde le couple qui passe : le monsieur est plutôt petit, la <u>dame</u> est assez grande. Elle, c'est <u>madame</u> Antoine, notre maîtresse ; lui, c'est le professeur de dessin. Il nous a appris à dessiner un <u>damier</u> : il faut autant de carrés noirs que de carrés blancs. Sais-tu jouer aux <u>dames</u> ?

Danger

Mes parents me croient en <u>danger</u> quand je vais seule à l'école. Pourtant, je ne risque rien : le carrefour que je dois traverser n'est pas <u>dangereux</u>, puisqu'il y a des feux rouges et verts.

Danser

Fabienne aime <u>danser</u>. Au son de n'importe quelle musique, ses pieds, ses bras, tout son corps se met en mouvement. Elle aime surtout les <u>danses</u> vives et rythmées. Si elle veut devenir <u>danseuse</u>, elle devra aller dans un cours de <u>danse</u>.

Date

Quand part-on en vacances ?
- Cette année, nous partirons le mercredi 1er août. C'est la <u>date</u> de notre départ, ne l'oublie pas !

Datte

La <u>datte</u> est un fruit petit, allongé, ferme et très sucré. Elle pousse sur le <u>palmier-dattier</u> qui est un arbre des pays chauds.

...

...

...

...

Dé

A l'école, nous brodons un canevas.
Nous avons tous un <u>dé</u> pour protéger
le doigt qui pousse l'aiguille. ■ Les dés
de mon jeu de l'oie ne sont pas du tout
comme celui-là ! Ce sont des petits
cubes blancs avec des points noirs sur
chaque face.

Déballer

On vient de livrer un paquet à Roland.
Pour voir ce qu'il contient, il faut le
<u>déballer</u> : enlever la ficelle, le papier qui
<u>emballe</u> l'objet mystérieux.
Naturellement, Roland a laissé traîner
l'<u>emballage</u> !

Debout

Philippe, lève-toi
de ta chaise et
viens te placer
contrele mur,
<u>debout</u>, les pieds
joints bien à plat,
les jambes et le corps
droits : je voudrais
savoir combien
tu mesures.

Débrouiller

Mon écheveau de laine est emmêlé ; ce
ne sera pas facile de le <u>débrouiller</u> !
C'est le chat, en jouant, qui l'a
<u>embrouillé</u>. Heureusement, Danièle est
<u>débrouillarde</u> : elle réussit toujours à
arranger les choses qui paraissent
compliquées.

Début

Jacqueline m'a conseillé un livre.
Les pages du <u>début</u> ne m'ont pas
intéressée, mais j'ai continué.
J'ai eu raison, car la suite était
passionnante.

■ Aujourd'hui, Patricia va au cours
de danse. C'est sa première leçon :
elle <u>débute</u>.

Décalcomanie

Papa m'a apporté un album de
<u>décalcomanie</u>. Je prends une image, je
l'appuie contre la porte de ma chambre,
je la mouille et j'attends un peu : et
voilà, le dessin a quitté la feuille de
papier, il est <u>décalqué</u> sur la porte.

Déception

J'espérais aller en vacances avec Carole,
mais je viens d'apprendre que ce n'est
pas possible. Quelle <u>déception</u> ! Carole
est aussi <u>déçue</u> que moi de renoncer
aux projets que nous avions faits.

Déchirer

Corinne joue avec son chien : « Lâche
ma manche, Réglisse, ne tire pas
comme ça, tu vas la <u>déchirer</u> ! »
Soudain, « crac », le tissu se fend. La
manche de la robe de Corinne est
<u>déchirée</u>. Par la <u>déchirure</u>, on voit son
bras.

Décider

Alain s'ennuie, il ne sait pas quoi faire, il
n'a envie de rien. Maman lui dit : « Eh
bien, je vais <u>décider</u> pour toi ; nous irons
au zoo. Ma <u>décision</u> est prise et je ne

Décorer

Le premier jour, il n'y avait rien sur les murs de la classe. Valérie a dit :
« Elle n'est pas jolie, la classe ; il faudrait la décorer.
- C'est vrai, a dit la maîtresse, mais je compte sur vous pour la décoration. »
Maintenant, il y a des dessins sur les murs et des mobiles au plafond.
Notre classe est bien décorée.

Découverte

Claude habite un village loin de la mer.
En creusant le sol profondément, il a fait une découverte étonnante.
Il a découvert une pierre qui porte des empreintes de coquillages.
Un savant pourrait découvrir depuis quand la mer ne vient plus jusqu'au village de Claude.

Défendre

Frédéric pleure parce que Gérard l'a battu. « Au lieu de pleurer, il fallait te défendre », lui dit Olivier.
Frédéric est encore petit, il a besoin qu'on prenne sa défense et qu'on l'aide.
Quand il sera plus grand, il n'aura plus besoin de défenseur.
■ La maîtresse n'est pas contente, elle a écrit au tableau :
« Défense de se battre, les bagarres sont interdites dans l'école. »

Défilé

Le jour de la fête de l'école, nous avons organisé un défilé de tous les élèves dans les rues. Pour défiler, nous nous sommes mis en rang les uns derrière les autres.

Déguiser

Le jour de la Mi-Carême, il y avait une fête chez Roland. Tous les enfants devaient se <u>déguiser</u>. Ils devaient porter un costume inhabituel.
J'étais <u>déguisé</u> en mousquetaire. Mon <u>déguisement</u> était réussi : personne ne m'a reconnu.

Demander

J'ai très envie d'une bicyclette, mais mes parents ne le savent pas. Je devrais leur <u>demander</u> s'ils peuvent m'en acheter une ; ils n'y penseront peut-être pas si je ne le leur <u>demande</u> pas.

Démarrer

Il est temps de partir. J'espère que la voiture va <u>démarrer</u>. Grand-mère tire sur le <u>démarreur</u>, mais le moteur reste silencieux. Enfin, nous roulons : le <u>démarrage</u> a eu lieu au troisième essai.

Déménager

A la naissance de Frédéric, il a fallu <u>déménager</u>, changer notre logement désormais trop petit pour un plus grand. Des <u>déménageurs</u> ont chargé nos affaires dans un camion et les ont transportées dans l'appartement où nous devions <u>emménager</u>.

Demeurer

Je ne veux pas quitter ce quartier où j'ai tant d'amis pour <u>demeurer</u> ailleurs où je ne connais personne. C'est ici qu'est la <u>demeure</u> de mes parents, c'est là que j'ai toujours habité.

Démolir

Méfie-toi, voilà Cyril ! Il est encore trop petit pour construire, mais il sait très bien <u>démolir</u> !

Pénélope assiste, furieuse, à la <u>démolition</u> de la pyramide qu'elle a construite patiemment, tandis que Cyril rit de voir les cubes tomber.

Dent

Les <u>dents</u> de lait de Clémentine sont tombées, c'est normal. Il en poussera d'autres sur les mêmes emplacements. Le <u>dentiste</u> l'a dit à Clémentine.

Dépasser

Ce matin, je suis partie sans attendre Paul. « Va, m'a-t-il dit, je n'aurai pas de peine à te rattraper et même à te <u>dépasser</u>. » En effet, quelques minutes plus tard, il m'avait <u>dépassée</u>, me laissant derrière lui ; il est arrivé avant moi.

Dépêcher (se)

Vite, les enfants, nous devons nous <u>dépêcher</u>, sinon nous manquerons le train !

Dépenser

Patricia a acheté des illustrés et des bonbons. Elle se plaint de ne plus avoir d'argent. Fabienne lui dit : «Tu n'étais pas obligée de tout <u>dépenser</u>. Tu achètes n'importe quoi, tu es vraiment <u>dépensière</u>. »

Déranger

Quel fouillis ! Quand nous aurons remis de l'ordre dans cette pièce, tu voudras bien ne plus rien <u>déranger</u> d'ici ce soir. « Moi, je n'ai rien <u>dérangé</u>, dit Séverine, Emmanuel est responsable du <u>dérangement</u>, c'est à lui de <u>ranger</u> .»

Descendre

Gladys a réussi à grimper tout en haut du toboggan. Elle se demande comment <u>descendre</u>. « Laisse-toi glisser, crie Pénélope, je t'attends en bas. » Pendant la <u>descente</u>, Gladys ferme les yeux de plaisir.

Désert

Le père de Séverine a projeté un film dans notre classe. On voyait la mère de Séverine et d'autres personnages voyager sur des chameaux dans un <u>désert</u> de sable.
C'est un vaste territoire sans aucun habitant. Où rien ne pousse parce qu'il n'y a pas d'eau.

Désirer

Pour son anniversaire, Jérémie a demandé un chat. « Es-tu certain de le <u>désirer</u> vraiment ? a demandé sa mère. - Oh oui, a répondu Jérémie, j'ai toujours eu envie de posséder un chat. Je crois que c'est mon plus vif désir. »

Dessiner

Cyril a pris mes crayons et réclame du papier pour <u>dessiner</u> un bonhomme. Il trace des ronds et des traits, puis fait admirer son <u>dessin</u>.

Devenir

Coralie regarde sa petite sœur et demande : « Est-ce qu'elle restera toujours comme ça, toute petite ? » Non, bien sûr, elle va grandir pour <u>devenir</u> une grande fille comme toi. Toi aussi, tu as été petite comme elle : tu es <u>devenue</u> grande, tu as changé.

Deviner

Comment fait-elle, maman, pour <u>deviner</u> des choses que je ne voulais pas raconter ? Quand j'ai perdu ma montre, elle s'en est doutée tout de suite. Pourtant, personne ne le savait. Elle m'a dit : « Je l'ai <u>deviné</u> à ton air embarrassé. » Si on joue aux <u>devinettes</u>, je suis sûre qu'elle gagnera.

Devoir

Je n'aime pas <u>devoir</u> quelque chose à Carole. Quand elle me prête un livre, elle le réclame trois fois par jour.
■ En sortant de l'école, Patricia se dépêche, car elle <u>doit</u> rentrer chez elle avant cinq heures. Elle aide son frère à faire ses <u>devoirs</u>. Le maître exige que les exercices qu'il donne soient faits.

Dévorer

Quel glouton ce Jean-Louis ! On croirait qu'il n'a pas mangé depuis huit jours ! Quand maman l'a servi, il s'est plaint de ne pas en avoir assez : « Je me sens capable d'en <u>dévorer</u> encore autant. » Il n'a rien laissé dans son assiette, il a tout <u>dévoré</u>.

Différent

Françoise et Catherine sont deux sœurs jumelles. On reconnaît difficilement l'une de l'autre. « Pourtant, disent leurs parents, elles sont <u>différentes</u>. Françoise a les yeux et les cheveux un peu plus clairs que ceux de Catherine. » Mais la <u>différence</u> est si faible qu'on ne la remarque pas.

Difficile

Jean-Marc trouve ses devoirs <u>difficiles</u> à faire. Il exagère : à peine a-t-il ouvert son cahier qu'il est déjà découragé ! Il ne fait pas le moindre effort et renonce à la première <u>difficulté</u> rencontrée. S'il prenait le temps de réfléchir, il comprendrait <u>facilement.</u>

Diminuer

Ma jupe est beaucoup trop longue ; il faut la raccourcir, en couper quelques centimètres pour <u>diminuer</u> la longueur.

■ Mon prénom est Patricia. En général, on m'appelle Patsy. C'est plus court, c'est le diminutif de mon prénom.

Dinde

La <u>dinde</u> est un oiseau de basse-cour. Sa tête et son cou, dépourvus de plumes, sont recouverts d'une peau granuleuse d'un rouge violacé. La <u>dinde</u> est la femelle du <u>dindon</u>. Le <u>dindonneau</u> est leur petit.

Dire

Nathalie et moi, nous nous parlons beaucoup, nous avons tant de choses à nous <u>dire</u>. Ce n'est pas une raison pour nous traiter de bavardes, comme le fait Véronique qui est souvent <u>médisante</u>.

Direction

Dans quel sens devons-nous marcher pour trouver la station du bus ?
A gauche ou à droite ?
- Tu es justement dans la bonne direction : prends à gauche, tu y arriveras directement.

Discuter

Hier, nous nous sommes réunis pour discuter des vacances. Nous avons échangé des idées, écouté les arguments des uns et des autres. Après une longue discussion, nous avons adopté la proposition de Philippe qui paraissait la meilleure.

Dispute

Emmanuel veut écouter des disques juste au moment où Séverine veut lire. Et voilà une nouvelle dispute qui commence ! Ils se font des reproches, crient, se traitent de tous les noms. Ils trouvent toujours une raison de se disputer, de s'opposer.

Disque

Guidée par le sillon qui va du bord jusqu'au centre du disque, une pointe lit un enregistrement pour nous le faire entendre. Henri collectionne les disques. Certains disques sont plus grands que d' autres. Aujourd'hui, j'ai acheté un disque compact qui est très petit et qui, lui, s'abimera moins si je l'écoute très souvent.

Distraire

C'est l'anniversaire de Frédéric. Pour distraire ses invités, il a imaginé des jeux amusants. Les distractions sont nombreuses, on ne s'ennuiera pas. ■ Pourvu que Mathias vienne ! Il est si distrait qu'il est capable d'avoir oublié la date.

Distribuer

Maman a coupé le gâteau pour en
<u>distribuer</u> une part à chacun. Après
avoir mangé la sienne, Alain a demandé
s'il y aurait une autre <u>distribution</u>.
Mais tout avait été <u>distribué</u>.

Document

Pour m'inscrire à l'école, maman a
emporté mon acte de naissance et mon
certificat de vaccination. Ces papiers
sont des <u>documents</u> qui donnent des
renseignements sur moi : quand et où
je suis né, quel est mon nom, qui sont
mes parents, à quelle date j'ai été
vacciné et contre quelle maladie.

Doigt

Les paumes de nos mains sont
prolongées par cinq <u>doigts</u> : le pouce,
l'index, le majeur, l'annulaire et
l'auriculaire.

Dommage

Nous devions aller à la campagne à
bicyclette, mais nous ne sommes pas
partis en raison du mauvais temps. C'est
<u>dommage</u>, car nous attendions
beaucoup de plaisir de cette journée.
Nous ne pouvions même pas faire une
sortie en voiture, parce que la nôtre est
<u>endommagée</u> : elle ne roule plus.

Dompteur

Le lion du cirque regrette-t-il sa vie libre et sauvage ? Il a l'air d'accepter l'autorité du <u>dompteur</u> qui l'a dressé à lui obéir. Moi, il paraît que je suis <u>indomptable</u>. Papa dit cela pour rire, il sait bien que je ne suis pas un animal qu'il faut <u>dompter</u> pour l'obliger à rester tranquille.

Donner

Je me demandais quoi offrir à Roland pour son anniversaire. J'ai décidé de lui <u>donner</u> mon chien en peluche que j'aime beaucoup. Je suis contente de le lui avoir donné, car je sais que, de ma part, ce cadeau lui a fait plaisir.

Dormir

Gladys a sommeil, elle bâille, ses yeux se ferment. Je suis sûre qu'elle va <u>dormir</u> dès qu'elle sera couchée. La voilà <u>endormie</u>. Quand elle se réveillera, elle sera reposée.

Dos

Quand Pierre m'a bousculé, je suis tombé sur le <u>dos</u>, mon visage était tourné vers le ciel. Je me suis relevé, et j'ai dû m'adosser contre un mur avant d'aller m'asseoir sur une chaise au <u>dossier</u> confortable.

Douche

Il a fait chaud, je me sens sale ! Je prendrais volontiers une <u>douche</u>. C'est agréable de se <u>doucher</u>, de recevoir l'averse qui tombe de la pomme d'arrosoir fixée au-dessus de la baignoire.

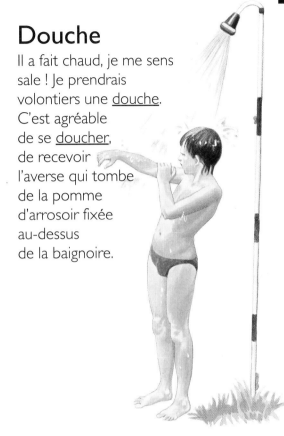

Doux

Alain est vif et coléreux ; Nicolas est plus <u>doux</u>, plus tranquille. Le premier aime les nourritures salées ; le second n'aime que les <u>douceurs</u>. Quand Alain parle, on peut être sûr que Nicolas devra dire : « Parle plus <u>doucement</u>, je ne suis pas sourd ! »

Drap

Maman a acheté une paire de <u>draps</u> pour mon lit. Celui qui recouvre le matelas est un <u>drap-housse</u>. ■ Olivier, qui avait trouvé trois morceaux de tissu, - bleu, blanc, rouge - les a assemblés pour fabriquer le <u>drapeau</u> français.

Dresser

J'ai ramassé l'échelle pour la <u>dresser</u> contre le mur. J'ai de la peine à la maintenir droite. ■ Quand je lance une balle à mon chien, il me la rapporte : je l'ai bien <u>dressé</u>, il m'obéit.

Droit

La boulangerie est au bout de la rue. Tu la trouveras en marchant <u>droit</u> devant toi à condition de ne pas te tromper de direction en sortant de la maison. Ne pars pas du côté de ta main gauche sur laquelle est ta montre ; pars à <u>droite</u>.

Drôle

Je passe la journée de dimanche avec Roland ; ce ne sera pas un jour triste, car Roland est un garçon très <u>drôle</u>, jamais à court d'idées originales qui font rire. Il est toujours gai, d'une <u>drôlerie</u> vraie et contagieuse. On va drôlement s'amuser…

Dur

J'espérais manger du pain frais, mais on m'a servi du pain rassis, presque aussi <u>dur</u> que du bois ! je voulais manger des œufs à la coque, mais je les ai fait cuire trop longtemps : le jaune avait <u>durci</u>, il n'était plus liquide.

Durer

Je ne veux pas t'accompagner car ta course va <u>durer</u> trop longtemps. Pendant la <u>durée</u> de ton absence, je ferai mes devoirs.

Duvet

J'ai découvert des oisillons dans leur nid. Ils n'ont pas encore de plumes, seulement du <u>duvet</u> comme il y en a sous le ventre et le dessous des ailes des oiseaux. C'est doux, léger et très chaud.

Éblouir

Nous marchions dans le noir. Jean-Louis a trouvé drôle de m'<u>éblouir</u> en dirigeant sur moi la lumière de sa lampe électrique. Ce n'est pas malin. Pendant un court instant, j'ai été aveuglé, <u>ébloui.</u> Je supporte mal les lumières trop vives, <u>éblouissantes</u>.

Ébouriffé

Tes cheveux sont <u>ébouriffés</u> comme si tu avais oublié de les coiffer.
- Je me suis pourtant peigné avant de sortir, mais il a suffi d'un coup de vent pour m'<u>ébouriffer</u>.

Écart

C'est difficile de faire le grand <u>écart</u>. Il faut <u>écarter</u> les jambes très largement, les éloigner l'une de l'autre, presque à l'horizontale. ■ Philippe me regarde faire sans s'approcher : il reste à l'<u>écart</u>.

Échapper

Si tu laisses ouverte la porte de sa cage, l'oiseau va s'<u>échapper</u> et tu ne pourras pas le rattraper. Je n'ai pas tenu compte de cet avertissement et mon oiseau s'est <u>échappé</u> : il s'est envolé.

Échelle

Pour atteindre les livres placés dans le haut de la biblio-thèque, je prends l'<u>échelle</u>. Je grimpe en plaçant mes mains sur les bar-res des côtés, en posant mes pieds l'un après l'autre sur les <u>échelons</u>, comme sur les marches d'un escalier.

Éclabousser

Les jours de pluie, les voitures
qui roulent le long des trottoirs
ne peuvent éviter d'<u>éclabousser</u>
les passants. L'eau des caniveaux est sale
et c'est désagréable de recevoir
ces <u>éclaboussures</u>.

Éclairer

Je n'y vois plus assez pour lire, je prends
la lampe pour m'<u>éclairer</u>. Nous aussi,
nous aimerions voir plus clair,
mais l'<u>éclairage</u> de la lampe
est insuffisant. Appuie sur le bouton
électrique qui allume le lustre :
nous aurons plus de <u>clarté</u>.

École

C'est dans cette maison que je viens
pour apprendre à lire, écrire, compter
et aussi pour jouer pendant
les récréations, peindre, chanter,
écouter des histoires. C'est mon <u>école</u>.
Je suis <u>écolier</u> dans le même groupe
scolaire que ma sœur.

Écorcher

Je ne sais pas comment j'ai fait pour
m'<u>écorcher</u> le pied. Heureusement,
la blessure est superficielle, la peau est
juste égratignée. C'est une simple
<u>écorchure</u> sans gravité.

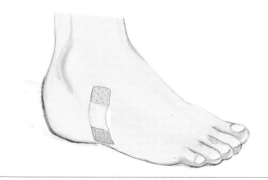

68

Écouter

Je n'entends pas ce que papa dit au téléphone !
-Viens <u>écouter</u>, tu peux prendre l'<u>écouteur</u> et le mettre contre ton oreille.

Écrire

Gladys voudrait <u>écrire</u>, mais elle est trop petite ; elle ne sait pas encore reproduire les dessins des lettres, assembler les lettres pour faire des mots comme je sais le faire. Maman nous a montré la lettre <u>écrite</u> par Dominique ; il a déjà une belle écriture.

Écureuil

L'<u>écureuil</u> est un petit animal rongeur, très agile,
à la fourrure rousse,
à la queue
en panache.
Il est gourmand
de noisettes.

Effacer

Jérôme est chargé d'<u>effacer</u> le tableau. Il l'essuie avec un chiffon pour faire disparaître toutes les traces d'écriture. Lorsque tout est <u>effacé</u>, le tableau est de nouveau prêt à servir.

Effort

Nous avons fait une course dans la cour de l'école. J'ai couru de toutes mes <u>forces</u>, car je voulais arriver le premier. Malgré mes <u>efforts</u>, je n'ai pas réussi à dépasser Christian. Je dois m'obliger à courir tous les jours, m'<u>efforcer</u> de devenir un meilleur coureur.

Égal

Roland, Patricia et Fabienne se sont partagé un sac de billes. Ils en ont fait trois parts <u>égales</u>, chacun en a reçu la même quantité. Roland est très adroit aux billes et Fabienne voudrait bien l'<u>égaler</u>, jouer aussi bien que lui. Pourquoi pas ?

Élan

Emmanuel court sur le plongeoir. Arrivé près du bord, il donne un coup de talon pour prendre son <u>élan</u>, s'élève en l'air et fait un magnifique plongeon. Je n'ai plus qu'à m'<u>élancer</u> pour le rejoindre dans l'eau.

Électricité

Mes parents ont acheté une très vieille maison. On ne pouvait même pas s'éclairer, car il n'y avait pas d'<u>électricité</u>. Un <u>électricien</u> est venu, il a fait l'installation <u>électrique</u>. La force de l'<u>électricité</u> circule dans les fils qu'il a posés ; elle arrive jusqu'aux prises de courant et boutons <u>électriques</u>.

Éléphant

L'<u>éléphant</u> est un énorme animal à la peau épaisse et rugueuse, généralement grise. Il a de larges et grandes oreilles plates, un nez très allongé, très flexible, qu'on appelle trompe. Il a deux défenses en ivoire.
La femelle de l'<u>éléphant</u> est l'<u>éléphante</u>. Leur petit est l'<u>éléphanteau</u>. L'<u>éléphant</u> est un mammifère.

Embrasser

Quand j'ai voulu <u>embrasser</u> Pénélope,
elle a refusé de venir dans mes bras.
Elle a couru dans les bras d'Alain qui l'a
serrée contre lui. Entre eux c'était des
<u>embrassades</u> à n'en plus finir ;
ils échangeaient des baisers,
tout heureux de se revoir.

Empêcher

Depuis que Mathias marche seul, j'ai dû
placer une barrière pour l'<u>empêcher</u> de
descendre l'escalier.
■ Je voulais sortir, mais j'en ai été
<u>empêchée</u> par une voisine venue en
visite. Je n'ai pas vu Jocelyne à cause de
cet <u>empêchement</u>.

Employé

Papa est <u>employé</u> de poste, il travaille
à la poste du quartier où nous habitons.
Maman a trouvé à se faire <u>employer</u>
dans un magasin. Elle est vendeuse, c'est
un <u>emploi</u> qui lui plaît.

Encombrer

J'espère que tu n'as pas l'intention
d'encombrer ma chambre davantage !
Elle est déjà si <u>encombrée</u> qu'on peut à
peine y circuler…
Quelle idée, aussi, d'avoir choisi des
meubles si <u>encombrants</u> : ils prennent
toute la place.

Encre

Quand mon oncle était petit, il écrivait
avec un porte-plume et trempait
la plume dans un <u>encrier</u> rempli d'<u>encre</u>.
C'est un liquide de couleur.

Enfant

Camille est encore un bébé, Dominique est un <u>enfant</u>, leur frère aîné est déjà un adolescent. Celui-ci sortira bientôt de l'<u>enfance</u> pour devenir un adulte. Ils sont les <u>enfants</u> de monsieur et madame Dubois. Même adultes, ils resteront les <u>enfants</u> de leurs parents.

Ennuyer

Je ne veux pas aller chez Carole, je suis sûre que je vais m'y <u>ennuyer</u>. Elle est souvent de mauvaise humeur, n'a jamais rien à dire et ne fait rien pour distraire ses invités. Elle est franchement <u>ennuyeuse</u> et je n'ai pas envie « d'attraper son <u>ennui</u> » !

Énorme

Il était une fois deux crocodiles. L'un était <u>énorme</u>, l'autre n'était pas si gros … Tu connais cette histoire ?
- Oui, je l'aime <u>énormément</u>, je l'aime vraiment beaucoup, beaucoup !

Ensemble

Philippe, Emmanuel et Paul sont partis <u>ensemble</u> à la montagne. Ils n'aiment pas partir séparément, ils préfèrent être les uns avec les autres.

Entendre

Voilà trois fois que je t'appelle ; je crois que tu fais exprès de ne pas <u>entendre</u> !
- Non, je t'assure que je n'ai pas <u>entendu</u> ; parle, je t'écoute.
■ Il paraît que Coralie a trouvé une amie à l'école. Elles s'<u>entendent</u> bien, elles sont toujours d'accord.

Entourer

Les bacs à sable de la cité sont envahis par les chiens du quartier. On doit poser des barrières tout autour, les <u>entourer</u> de barrières.
Quand l'<u>entourage</u> des bacs à sable sera terminé, les enfants pourront jouer tranquillement.

Entrer

Quand je suis arrivé devant l'école, la porte était encore fermée : je n'ai pas pu <u>entrer</u>. J'ai attendu dehors jusqu'à l'ouverture de la porte.
La directrice est venue accueillir les élèves à l'<u>entrée</u> de l'école.

Enveloppe

J'ai appris à faire une <u>enveloppe</u> avec une feuille de papier que j'ai pliée et collée. On dirait une poche.
■ J'ai cueilli des fleurs ; avant de les offrir, je les ai <u>enveloppées</u> dans un papier transparent.

Envers

Ton pull-over est à l'<u>envers</u>, on voit les coutures. Enlève-le, retourne-le pour qu'il soit à l'endroit.

Envie

Papa m'a acheté la poupée dont j'avais envie : je la désirais depuis longtemps. Carole a voulu me la prendre : elle a toujours envie de ce qui m'appartient. Elle est envieuse ! C'est de la jalousie !

Envoyer

Maman voudrait m'envoyer à la montagne. Elle ne viendra pas avec moi, je partirai avec un groupe d'enfants de l'école. ■ Dominique m'a renvoyé le livre que je lui avais prêté : elle me l'a fait parvenir par la poste. Son envoi m'a fait plaisir. Je l'attendais depuis si longtemps !

Épais

Mon cahier est très épais, car il a beaucoup de pages. Son épaisseur étonne Corinne. Elle, elle a choisi un cahier moins gros.

Épeler

Quand la nouvelle élève est arrivée, la maîtresse lui a demandé d'épeler son nom. Zlata a nommé, dans l'ordre, l'une après l'autre, les lettres qui composent son nom. Maintenant, on sait l'écrire.

Épi

J'ai cueilli un épi de maïs qui se balançait au bout de sa tige. J'ai écarté les feuilles qui l'entourent pourvoir ses rangées de grains bien alignées.

Épicerie

En bas de chez moi, il y a une épicerie. C'est un magasin d'alimentation. On y trouve des conserves, des fruits, des légumes, et aussi des épices : le poivre, la cannelle, le gingembre, la vanille, etc. L'épicier me les nomme toutes.

Épine

Je sais bien que les roses ont des épines tout le long de leur tige, mais j'ai beau prendre des précautions, je me pique chaque fois que j'en cueille.

Épingle

Ne laisse pas traîner les <u>épingles</u> sur la table : on risque de se piquer, car on les voit à peine tant elles sont fines. ■ J'ai fixé l'ourlet de ta jupe en l'<u>épinglant</u>, en le faisant tenir avec des <u>épingles</u>. Maintenant qu'il est <u>épinglé</u>, tu peux le coudre, le tissu ne bougera pas.

Éplucher

Qui vient m'aider ? Il y a des légumes à <u>éplucher</u>. - Moi ! Je nettoie la salade et j'<u>épluche</u> les carottes : je donnerai les <u>épluchures</u> à mon lapin.

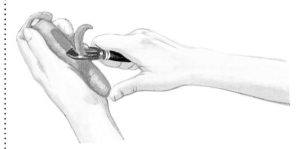

Éponge

Coralie a renversé de l'eau sur la table. « N'essuie pas avec ta serviette, lui dit maman, prends l'<u>éponge</u>, elle absorbe mieux les liquides. »

Épouvante

Un bruit violent m'a réveillé.
J'ai eu terriblement peur. L'épouvante
m'empêchait de bouger. Maman est
venue me rassurer. ■ Papa a installé un
épouvantail dans le jardin pour effrayer
les oiseaux trop gourmands de nos
cerises. Mais les oiseaux ne sont pas
épouvantés, ils n'ont pas peur du tout.

Équipe

Mon frère fait partie de l'équipe
de football de son lycée. Il emporte
son équipement dans un sac de sport.
Il est bien équipé : il a des chaussures
spéciales et le maillot de son lycée.

Erreur

Fabienne a crié parce que j'avais pris
son livre. Je ne l'ai pas fait exprès,
je croyais avoir pris le mien. Je me suis
trompé, j'ai pris le sien par erreur.

Escalier

Tu ne peux pas te tromper, il n'y a
qu'un escalier dans mon immeuble.
J'habite au 4ᵉ étage ; tu devras monter
à pied, car il n'y a pas d'ascenseur.
Cela fait une centaine de marches
à monter ou à descendre !
L'escalier mécanique, lui, te permet
de monter sans efforts. On l'appelle
aussi escalator.

Escargot

L'escargot est un animal rampant.
Il se déplace lentement en sortant de
sa coquille, mais il ne la quitte pas :
elle est attachée sur son dos. Ses yeux
sont placés sur l'extrémité de ses
cornes.

Espace

La cour de l'école n'est pas grande.
Quand tous les élèves y sont, il n'y a pas
beaucoup d'espace libre pour courir.
■ Je voudrais devenir cosmonaute
pour explorer l'espace, aller
d'une planète à l'autre.

Espérer

Michel passe un examen difficile,
on ne sait pas s'il le réussira.
Il faut l'espérer ! Il a de l'espoir, il pense
qu'il sera reçu car il a beaucoup étudié.

Essayer

Viens-tu avec moi faire de la poterie ?
- Je ne sais pas si ça me plaira ! -Tu ne
peux pas le savoir avant d'essayer !
J'avais essayé plusieurs activités avant de
choisir la poterie. Après plusieurs essais,
j'ai réussi à faire un vase.

Essuyer

La vaisselle est lavée, il ne reste plus
qu'à l'essuyer pour la sécher avant
de la ranger.

Étage

Nicolas, Valérie et Jean-Michel habitent
dans le même immeuble. Nicolas est au
rez-de-chaussée, Valérie et Jean-Michel
sont au premier étage. On va du rez-de-
chaussée aux étages par l'escalier.

Étaler

Les jours de marché, les commerçants arrivent très tôt le matin pour <u>étaler</u> leurs marchandises. Ils sortent des colis de leur camion, en retirent les produits qu'ils ont à vendre, les disposent joliment sur des tables : leurs <u>étalages</u> attirent les passants.

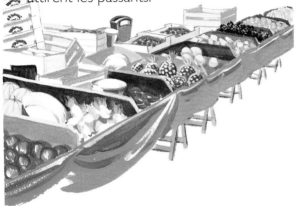

Éteindre

Un feu de bois est allumé dans la cheminée. Avant d'aller nous coucher, nous jetterons des cendres sur les dernières braises pour <u>éteindre</u> le feu. C'est plus prudent : l'an dernier, un incendie s'est déclaré chez nos voisins. Les pompiers l'ont <u>éteint.</u>
■ N'oubliez pas d'<u>éteindre</u> les lumières quand vous quitterez la salle.

Étendre

Veux-tu prendre la nappe, la déplier et l'<u>étendre</u> sur la table ? Quand la nappe sera <u>étendue</u>, bien à plat, tu mettras le couvert.

Éternuer

« A tes souhaits ! » Jacqueline vient d'<u>éternuer</u>. Est-elle enrhumée ?
- Non, mais l'odeur du poivre qu'elle a renversé lui picote le nez et provoque ces <u>éternuements</u>.

78

Étincelle

J'ai frotté l'allumette sur le côté de sa boîte, il s'est produit des <u>étincelles</u> et l'allumette s'est enflammée. ■ Le feu d'artifice est <u>étincelant</u>, il brille de milliers de petits feux. On voit tomber une pluie d'<u>étincelles</u>.

Étiquette

Tous les élèves ont apporté leur valise à l'école, car nous partons en classe de neige. Chacun devait coller une <u>étiquette</u> sur la sienne après avoir écrit dessus son nom et son adresse. Mais deux valises ne sont pas <u>étiquetées</u>.

Étoile

Tous ces petits points qui brillent dans le ciel, la nuit, ce sont des <u>étoiles</u>. Elles nous paraissent petites parce qu'elles sont très éloignées de nous. Certaines sont plus grandes que la Terre. Comme la Lune et le Soleil, les <u>étoiles</u> sont des astres.

Étonner

« Je vais vous <u>étonner</u> en vous annonçant une nouvelle extraordinaire : Je quitte l'école parce que je pars pour l'Afrique ! » Ce qu'il raconte là est si <u>étonnant</u>, que personne ne croit Nicolas. Pourtant, c'est vrai ! Notre <u>étonnement</u> l'amuse.

Étourdi

Pauvre Alain si <u>étourdi</u> ! Il a encore oublié sa clé. Il a agi <u>étourdiment</u>.

Étrenne

Une nouvelle année commence demain: c'est le 1er janvier. Dès que je serai levé, j'offrirai à mes parents les <u>étrennes</u> que j'ai préparées pour eux. Ils voudront les <u>étrenner</u>, s'en servir tout de suite.

Étroit

J'habite une rue <u>étroite</u> située entre deux larges avenues.
Les voitures n'ont pas la place de se croiser ; c'est pourquoi elle est à sens unique.

Étudier

L'an prochain, j'irai au conservatoire municipal <u>étudier</u> le piano. J'aimerais savoir en jouer.
■ Ma sœur est étudiante en médecine, elle apprend tout ce qu'il faut savoir pour devenir médecin. Il faut plusieurs années d'<u>études</u> avant d'être médecin.

Événement

Aujourd'hui, il s'est passé quelque chose qui va changer notre vie : il y a eu une naissance à la maison.
C'est un <u>événement</u> important : désormais, nous sommes quatre.

Évier

Quand j'aurai épluché la salade,
je la laverai dans l'<u>évier</u> de la cuisine.
Avant d'ouvrir le robinet pour le remplir
d'eau, je fermerai le trou
avec le bouchon. Ainsi l'eau ne
s'écoulera pas par ce trou.

Exact

L'école commence à 8 h 30. Il faut être
<u>exact</u>, arriver juste à l'heure.
■ J'ai fait mon problème, mais je n'ai pas
trouvé la bonne solution. Celle que j'ai
imaginée est inexacte. ■ Clémentine a
un stylo à bille tout à fait pareil au mien,
ce sont <u>exactement</u> les mêmes.

Exagérer

Si tu écoutes Emmanuel raconter
sa petite dispute avec Séverine, tu auras
l'impression qu'il y a eu, entre eux,
une grande bataille ! Il a toujours
tendance à <u>exagérer</u>. Il déforme
<u>exagérément</u> la réalité. Il a le goût
de l'<u>exagération</u>.

Examiner

Une dame est venue dans la classe pour
<u>examiner</u> nos cheveux, observer
s'ils étaient tout à fait propres, voir si
l'un de nous avait des poux !
Cet <u>examen</u> était désagréable,
mais nécessaire.

Excuser

Samedi matin, je suis arrivé en retard à
l'école parce que le réveil n'a pas sonné.
Papa m'a accompagné pour demander à
la maîtresse de m'<u>excuser</u>. Elle a
accepté ses <u>excuses</u> en disant :
« Un seul retard dans l'année, c'est
<u>excusable</u> ! »

Exemple

Maman m'agace quand elle me donne Sylvie en exemple. Il paraît qu'elle n'a que des qualités et que je devrais m'efforcer de lui ressembler ! Je ne la trouve pas exemplaire et je ne vois pas pourquoi je devrais l'imiter.

Exiger

Alain ne m'a pas rendu les livres que je lui ai prêtés. Il sait que j'en ai besoin, je le lui ai déjà dit. Je serai obligé d'insister, d'exiger qu'il me les rapporte sous peine de me fâcher. J'aurais dû être plus exigeant.

Expliquer

Je n'ai rien compris au film que j'ai vu à la télévision ; peux-tu m'expliquer l'histoire ? - Je vais te la raconter simplement, de manière que tu comprennes bien. Quand je t'aurai donné quelques explications sur les personnages, tu verras que l'histoire n'est pas aussi compliquée qu'elle en a l'air.

Exposition

A l'atelier de Poterie du Centre de loisirs, nous avons fabriqué des objets. Pour les montrer aux parents et aux amis, nous avons organisé une exposition. Nous avons rassemblé tout ce que nous avons fait, puis nous avons choisi les objets les plus réussis et les plus originaux pour les exposer.

Exprimer

Gladys parle déjà très bien.
Elle sait <u>exprimer</u> ce qu'elle veut,
ce qu'elle pense, d'une façon claire.
Son visage est <u>expressif</u> : on devine
son humeur rien qu'en la regardant,
sans qu'elle ait besoin de dire un mot.

Extérieur

Soyez gentils, ne jouez pas au ballon
dans la maison, ce n'est pas un jeu
d'intérieur ! Sortez donc : à l'<u>extérieur</u>,
vous lancerez votre ballon comme
vous voudrez.

Extrémité

Fabienne m'attend tout au bout
du chemin, à l'<u>extrémité</u> du chemin,
pour que nous allions jouer à la corde
avec Corinne. ■ Fabienne et moi, nous
prenons chacune une <u>extrémité</u> de
la corde, nous la tenons chacune par
un bout et nous la faisons tourner.

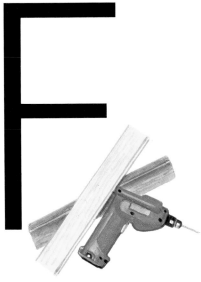

Fabriquer

J'emporte ces planches à l'atelier pour <u>fabriquer</u> une table. J'ai du bois, les outils qu'il faut pour travailler et je sais m'en servir.
Les meubles de la maison sont de ma <u>fabrication</u>.

Facile

Je voudrais faire un gâteau, mais j'ai peur de ne pas réussir. C'est <u>facile</u> à faire, un gâteau ! Si tu suis les explications de la recette, tu le feras <u>facilement</u>, sans te tromper.

Faible

Depuis qu'il a été malade, Patrice est <u>faible</u>, il se fatigue vite. La <u>faiblesse</u> de Patrice inquiète ses parents ; le médecin dit que cet <u>affaiblissement</u> ne durera pas, que bientôt Patrice retrouvera ses forces.

Faim

J'ai <u>faim</u> ! Ce n'est pas étonnant : je n'ai rien mangé ce matin.■ Emmanuel est de mauvaise humeur quand il est <u>affamé</u>. Séverine se moque de lui : « Tu peux attendre, tu n'as pas l'air <u>famélique</u>, tu as la mine de quelqu'un qui mange à sa <u>faim</u> ! »

Faisan

Le <u>faisan</u> est un oiseau au plumage coloré. Il a des ailes courtes, une longue queue qu'il balance en volant. Son vol est rapide. Le petit du <u>faisan</u> et de la <u>faisane</u> est un <u>faisandeau</u>.

Famille

Toute la <u>famille</u> est réunie, nous sommes dix-huit à table ! Je suis là, bien sûr, avec ma mère et mon père, mon frère et ma sœur. Il y a mes deux cousines et mes deux cousins, mes deux oncles et mes deux tantes, mes deux grands-pères et mes deux grand-mères et même une arrière grand-mère.

Fatiguer

Ce n'est pas le moment de me <u>fatiguer</u>, j'ai beaucoup de travail. Si je suis trop <u>fatigué</u>, je ne pourrai pas le faire. ■ Paul est <u>infatigable</u> : il a couru, joué et le voilà prêt à pédaler ! Il ne sent pas la <u>fatigue</u>.

Faucon

Le <u>faucon</u> est un oiseau qui vole rapidement. C'est un rapace aux griffes puissantes et recourbées, au bec court et crochu.

Faux

Isabelle prétend que j'ai pris son livre : ce n'est pas vrai, c'est absolument <u>faux</u> !

Femelle

Chez un couple d'animaux, il y a un mâle et une <u>femelle</u>, comme il y a un homme et une femme chez un couple d'humains. La <u>femelle</u> est de sexe féminin. Elle donne naissance aux petits.

Ferme

Il y a une <u>ferme</u> près de chez moi. A côté de l'habitation des <u>fermiers</u> se trouvent les bâtiments réservés aux animaux et un hangar pour le tracteur et les outils du <u>fermier</u>. C'est la <u>fermière</u> qui trait les vaches deux fois par jour.

Fermer

Il faut <u>fermer</u> les volets : s'ils restent ouverts, Gladys ne s'endormira pas.
■ Le <u>fermoir</u> de son bracelet est cassé. Je le ferai réparer demain : aujourd'hui c'est le jour de <u>fermeture</u> des magasins.

Fête

Aujourd'hui, mes parents ne travaillent pas et moi je ne vais pas à l'école : c'est un jour de <u>fête</u>. C'est comme un dimanche ■ Avant la rentrée des classes, je suis allé à une grande <u>fête</u> : il y avait des manèges, des stands où l'on vendait à boire et à manger, des chanteurs, des danseurs …

Feu

En arrivant à la campagne, nous allumons un <u>feu</u> de bois dans la cheminée. D'abord, il fume, mais bientôt, les flammes s'élèvent et dansent. Il fait chaud, on regarde le bois qui brûle.

Feuille

Les branches des arbres, couvertes de <u>feuilles</u>, nous font de l'ombre. Nous sommes bien à l'ombre des arbres <u>feuillus</u>. Nous écoutons les oiseaux à l'abri dans le <u>feuillage</u>.
■ Si j'avais une <u>feuille</u> de papier, je dessinerais.

Ficelle

J'ai besoin d'une <u>ficelle</u> pour attacher mes livres ensemble ; je n'ai que ma corde à sauter, elle est trop épaisse ! Pour <u>ficeler</u> mes livres, il me faudrait une <u>ficelle</u> juste un peu plus grosse que le <u>fil</u> de mon yoyo.

Fidèle

Roland est un ami <u>fidèle</u>.Nous vivons loin l'un de l'autre, mais nous nous écrivons et notre amitié durera : il sait pouvoir compter sur ma <u>fidélité</u>.

Fier

Luc a nagé pour la première fois. Il est <u>fier</u> de son exploit. La prouesse remplit son papa de <u>fierté</u>, presque d'orgueil !

Fier (se)

Carole et moi, nous devions aller chez Clémentine. Carole y est allée seule, sans rien me dire. J'avais tort de me <u>fier</u> à elle, elle ne tient jamais parole. J'aurais dû me <u>méfier</u>.

Fièvre

Jérémie grogne. Il est essoufflé, son front et ses mains sont très chauds. On dirait qu'il a de la <u>fièvre</u>. Maman vérifie sa température avec un thermomètre. Jérémie est <u>fiévreux</u>, sa température est de 39°. Maman appellera le médecin.

Figue

La <u>figue</u> est un fruit des pays chauds. Sa peau est lisse, de couleur violet foncé. Sa chair rouge, molle, juteuse et parfumée est pleine de petits grains blancs. La <u>figue</u> pousse sur un arbre : le <u>figuier</u>.

Fil

Maman prend sur une bobine la longueur de <u>fil</u> dont elle a besoin pour coudre un bouton. Elle <u>enfile</u> l'aiguille : elle passe le <u>fil</u> dans le trou de l'aiguille. ■ Le blue-jean de Fabienne est <u>effiloché</u> : on voit pendre les <u>fils</u> usés du tissu.

File

Le professeur de gymnastique nous fait mettre l'un derrière l'autre. Quand nous sommes en <u>file</u>, nous sautons chacun à notre tour.

Fils

Maman vient d'avoir un bébé, c'est un garçon. On l'appelle Cyril. Cyril est le <u>fils</u> de papa et maman. Moi, je suis leur <u>fille</u>. Cyril et moi, nous sommes les enfants de papa et maman ; ils sont nos parents.

Fin

Pénélope et Clémentine jouent avec le sable. Il est si <u>fin</u> qu'il passe à travers les petits trous de leurs passoires. Jocelyne les surveille en tricotant une brassière avec de la laine <u>fine</u>.

Finir

Je voudrais <u>finir</u> de tapisser la chambre de Séverine avant de vous rejoindre. J'ai presque terminé Je préfère aller jusqu'au bout de ce travail plutôt que de m'arrêter si près de la <u>fin</u>.

Flair

Vostock s'agite joyeusement : on peut être sûr que Roland sera bientôt là ! Il a un <u>flair</u> extraordinaire, il sent Roland bien avant que nous puissions le voir. Il faut le voir <u>flairer</u> son plat pour reconnaître la nourriture !

Flamme

Il y a une panne d'électricité ; j'allume des bougies, mais leur <u>flamme</u> éclaire peu. A la flamme d'une bougie, j'ai <u>enflammé</u> le papier et le bois sec préparés dans la cheminée.

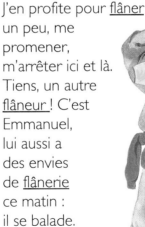

Flâner

Il est tôt, je n'ai pas à me presser. J'en profite pour <u>flâner</u> un peu, me promener, m'arrêter ici et là. Tiens, un autre <u>flâneur</u> ! C'est Emmanuel, lui aussi a des envies de <u>flânerie</u> ce matin : il se balade.

Flèche

Alain participe à un concours de tir à l'arc. Il vérifie sa <u>flèche</u> : la baguette de bois est lisse et droite ; la pointe métallique tient solidement à une extrémité, les plumes forment comme trois petites ailes à l'autre.

Fleur

Le jardin est plein de <u>fleurs</u> : narcisses jaunes, primevères mauves, tulipes rouges, lilas blancs qui parfument l'air … Les pivoines n'ont pas encore <u>fleuri</u> ; elles sont en boutons.

Flotter

Cyril fait <u>flotter</u> un bateau : il a beau l'enfoncer dans l'eau, le bateau remonte à la surface. A côté, Gladys apprend à nager. Sur chaque bras elle porte un <u>flotteur</u> qui l'empêche de couler au fond de l'eau.

Foire

Emmanuel et Séverine sont à la <u>foire</u> de Lessay où l'on vend des chevaux. Les éleveurs se sont rassemblés sur le <u>champ de foire</u>. Autour, des manèges, des spectacles et des stands accueillent les acheteurs et les promeneurs. C'est à la fois un immense marché et une grande fête <u>foraine</u>.

Fond

Pénélope plonge son bras dans l'eau pour prendre le savon tombé au <u>fond</u> du seau. Le seau est grand, très creux, <u>profond</u> ; Pénélope doit <u>enfoncer</u> son bras <u>profondément</u> pour atteindre le fond du seau. Son bras est entièrement mouillé.

Fondre

Oh ! la ! la ! J'ai oublié
les recommandations de maman !
Ne laisse pas le beurre au soleil,
sinon il va <u>fondre</u>, a-t-elle dit avant de
partir. Le beurre est <u>fondu</u>, il est liquide
comme de l'huile.

Forcer

C'est l'heure de rentrer, mais Fabienne
veut jouer encore. Pour la <u>forcer</u> à venir
avec lui, papa la prend dans ses bras.
« Si tu ne viens pas de bon gré, tu
viendras de <u>force</u> », lui dit-il.

Forêt

Il y a deux arbres seulement dans
le jardin de Pépi. Il y en a davantage
dans le verger de l'oncle Paul.
Ce sont des arbres cultivés pour
leurs fruits. Je préfère la <u>forêt</u> avec
ses grands arbres si nombreux
et si divers. J'aime aller en <u>forêt</u> bavarder
avec le <u>garde forestier</u>.

Forme

Mathias remplit son seau avec du sable,
puis le pose, retourné, sur le sol.
Son pâté a exactement la <u>forme</u> du
seau. D'un coup de pelle, il <u>transforme</u>
son pâté en un tas <u>informe</u> qui
ne ressemble plus à rien.

Fort

Laisse ce colis, tu ne pourras pas le porter, tu n'es pas assez <u>fort</u>. Emmanuel le prendra, il a plus de <u>force</u> que toi ; c'est normal, il est plus grand que toi.

Foule

Il y a <u>foule</u> au marché ; il y a tant de monde qu'on ne peut éviter de bousculer quelqu'un.

Fourchette

Je mange avec ma <u>fourchette</u>. C'est un ustensile qui a un manche avec des dents. Avec ma <u>fourchette</u>, je pique les aliments. Pour rammasser le foin, le fermier prend sa <u>fourche</u>. Elle ressemble à ma <u>fourchette</u>, mais elle est plus grande.

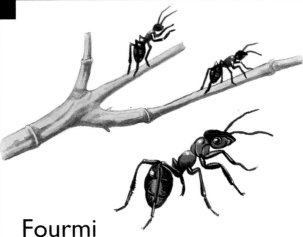

Fourmi

Les <u>fourmis</u> sont de très petits insectes de couleur brune ou rouge, qui ont six pattes extrêmement fines et deux antennes au-dessus de la tête. Elles vivent rassemblées dans des <u>fourmilières</u>.

Fragile

Le vase qu'Emmanuel vient d'acheter est <u>fragile</u> : il se brisera au moindre choc s'il n'est pas soigneusement emballé.

Frais

Pour fuir la chaleur, Séverine s'est installée à l'ombre ; il y fait plus <u>frais</u>. Elle a mis des glaçons dans son verre pour <u>rafraîchir</u> l'eau, la rendre plus <u>fraîche</u>. La <u>fraîcheur</u> de l'eau la fait frissonner.

Fraise

La <u>fraise</u> est un fruit de l'été.
Elle est rouge, charnue, parsemée
de grains minuscules, avec
une collerette verte dentelée.
La <u>fraise</u> est le fruit du <u>fraisier</u> qui
pousse dans les jardins, généralement
au ras du sol.

Framboise

La <u>framboise</u> est un fruit de l'été.
Elle est formée de toutes petites boules
rouge foncé, bien serrées les unes
contre les autres. La <u>framboise</u> est
le fruit du <u>framboisier</u> qui est un arbuste
cultivé dans les jardins.

Franc

Si Roland dit qu'il peut nager plus de
mille mètres, tu dois le croire, car il ne
ment jamais : il est <u>franc</u>. S'il n'en était
pas capable, il le dirait <u>franchement</u>,
sans être gêné. C'est un garçon sincère,
d'une grande <u>franchise</u>.

Frayeur

Un bruit inexpliqué fait sursauter
Gladys. Prise de <u>frayeur</u>, elle se précipite
dans les bras de maman qui la rassure.
Un camion qui passe dans la rue,
ce n'est pas <u>effrayant</u>, mais c'est assez
pour que Gladys ait peur, qu'elle soit
<u>effrayée</u>.

Frein

Coralie n'est pas rassurée : la bicyclette roule un peu vite dans la rue en pente. « Ralentis ! crie Emmanuel, serre un peu les <u>freins</u>, tu iras moins vite. » Devant la pâtisserie, Coralie <u>freine</u> plus fort, pour s'arrêter.

Froid

Il fait très <u>froid</u> ! Mets ton manteau sinon tu auras <u>froid</u>. - Je ne suis pas <u>frileuse</u>, je ne crains pas le <u>froid</u>.
J'ai même ouvert la fenêtre pour <u>refroidir</u> la température de la chambre.

Frotter

Fabienne essuie la table. « Les taches ne partiront pas si tu n'appuies pas plus que cela, lui dit Patricia. Il faut étaler la cire et puis <u>frotter</u> jusqu'à ce que la table brille. Ne crains rien, le <u>frottement</u> ne risque pas d'user la table ! »

Fruit

Je mange des <u>fruits</u> tous les jours, soit au commencement du repas (tomates, melon, pamplemousse…), soit à la fin (pommes, poires, fraises, cerises, abricots…).■ Les arbres <u>fruitiers</u> sont en fleurs. Quand les fleurs tomberont, les <u>fruits</u> commenceront à pousser.

Fumée

Tiens ! On a fait du feu chez Corinne : je vois la <u>fumée</u> qui sort de la cheminée du toit de sa maison. Elle s'élève, puis s'évanouit sans laisser de trace.
■ Philippe <u>fume</u> la pipe. Zut ! La chambre est <u>enfumée</u> !

Gai

Clémentine est toujours prête à jouer, à rire, à chanter : elle est <u>gaie</u>. Quand on est triste, il faut l'inviter, elle apporte sa <u>gaieté</u> et tout le monde devient joyeux. Elle sait nous égayer, nous rendre <u>gais</u>.

Galoper

Au cirque, l'écuyère fait claquer son fouet. A ce signal, le cheval se met à courir de plus en plus vite, à <u>galoper</u> autour de la piste. ■ Olivier court après Frédéric : quelle <u>galopade</u> pour le rattraper ! Olivier est essoufflé.

Garage

Papa range la voiture au <u>garage</u> au bout de la cité. Il ne veut pas la <u>garer</u> dans la rue. Demain, il doit la conduire chez un <u>garagiste</u> pour faire réparer l'essuie-glace cassé, et maman ira la reprendre.

Garder

Maman a chargé Claudine de <u>garder</u> Gérard, de veiller sur lui. Claudine prend son rôle de <u>gardienne</u> au sérieux : elle est fière de sa responsabilité. Maman sait qu'elle peut lui confier la <u>garde</u> de Gérard : il ne lui arrivera rien de mal.

Gauche

Patricia ne se rappelle jamais où est sa <u>gauche</u>. Elle pose la main sur son cœur pour en sentir les battements : son cœur est à <u>gauche</u>. ■ Fabienne est <u>gauchère</u> ; elle est plus habile de la main <u>gauche</u> que de la main droite.

Géant

Jérémie donne la main à son père. C'est un tout petit garçon à côté d'un monsieur très grand. On croirait le Petit Poucet et le <u>géant</u>. Ils habitent tout en haut d'une maison <u>gigantesque</u>, une haute tour, la plus haute de tout le quartier.

Geler

Il fait encore plus froid qu'hier ; il va sûrement <u>geler</u> et l'eau des ruisseaux sera transformée en glace. Si le gel dure, les plantes seront <u>gelées</u>, elles seront abîmées par le froid.

Généreux

Danièle m'a aidé à faire mes devoirs avant même de faire les siens : elle est <u>généreuse</u>. Elle est d'une grande <u>générosité</u> avec tout le monde.

Germer

Les graines de radis que nous avons semées commencent à <u>germer</u> : les racines poussent et s'accrochent dans la terre humide. Quand la <u>germination</u> sera avancée, des petites feuilles de radis sortiront de terre.

Gifler

« Attention, Dominique ! Si tu continues à m'embêter, je vais te <u>gifler</u> ! »
Dominique n'en fait qu'à sa tête, alors Julien lui donne une paire de <u>gifles</u>.
La main de Julien a claqué sur la joue de Dominique.

Gigogne

Cyril a une poupée <u>gigogne</u>. On l'ouvre, il en sort une poupée plus petite qui s'ouvre pour laisser une poupée encore plus petite. Il y a onze poupées emboîtées les unes dans les autres !

Glace

L'eau du lac a gelé tant il fait froid.
On pourra patiner sur la couche de <u>glace</u> épaisse et dure.
Même par ce froid <u>glacial</u>, Henri mange une <u>glace</u> et met des <u>glaçons</u> dans son verre !

Glisser

Du haut du toboggan, Gladys se laisse <u>glisser</u> jusqu'en bas. Elle aime la <u>glissade</u> et se dépêche de recommencer.

Gonfler

Les pneus de ma bicyclette sont à plat et je n'ai pas de pompe pour les <u>gonfler</u>.
Qui les a <u>dégonflés</u> ?
■ Un commerçant m'a donné un ballon à <u>gonfler</u>. On dirait un petit sac vide ; je souffle dedans et plus je souffle, plus il grossit.

Gorge

Corinne a mal à la <u>gorge</u>.
Elle ne peut rien avaler.
Le docteur lui fait ouvrir
la bouche pour en
examiner le fond.
Il lui recommande
de boire souvent,
peu à la fois, par
petites <u>gorgées</u>.

Gourmand

Je ne sais pas si je suis <u>gourmande</u>, mais
j'aime ce qui est bon ! Je ne mange pas
seulement parce que j'ai faim, je mange
par <u>gourmandise</u>.

Goûter

Veux-tu une glace à la noix de coco ?
- Je ne sais pas si j'aime ça.
- Prends-en un peu sur ta cuillère pour
<u>goûter</u>, juste pour en connaître le goût.
Si cela te plaît, tu en reprendras.
Ne <u>goûte</u> pas avec tes doigts,
c'est <u>dégoûtant</u>.

Graine

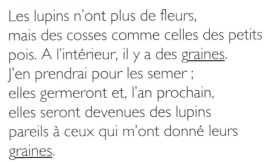

Les lupins n'ont plus de fleurs,
mais des cosses comme celles des petits
pois. A l'intérieur, il y a des <u>graines</u>.
J'en prendrai pour les semer ;
elles germeront et, l'an prochain,
elles seront devenues des lupins
pareils à ceux qui m'ont donné leurs
<u>graines</u>.

Grand

Alain s'aperçoit
qu'il ne peut
verser tous
ses bonbons dans
une si petite boîte.
Il réclame une boîte
plus <u>grande</u>. Je dois
<u>grandir</u> avant de
pouvoir attraper
celle qui est en
haut du placard.
Pour le moment,
je suis trop petit.

Grappe

Je ne peux pas compter tous les fruits assemblés sur cette grappe de raisins, ils sont trop nombreux et trop serrés. Après les vendanges j'irai grappiller dans les vignes, ramasser les petites grappes laissées par les vendangeurs.

Gratuit

Parfois, maman rapporte de la parfumerie des échantillons gratuits : des petites savonnettes, des flacons d'eau de toilette minuscules. Elle ne les a pas payés ; la vendeuse les lui a donnés gratuitement.

Grenouille

La grenouille est un petit animal capable de vivre sur terre et dans l'eau ; ses pattes arrière sont longues et palmées, sa peau est lisse. Elle nage et saute.

Grève

Ni train, ni métro, ni autobus aujourd'hui. C'est la grève des transports. Les gens qui les font marcher ont décidé de ne pas travailler pour faire savoir qu'ils voudraient être mieux payés. Les grévistes reprendront le travail quand on les aura écoutés.

Grignoter

Qui a rongé les coins de mon livre ? Sans doute une souris qui n'avait rien de mieux à grignoter ! Cela me coupe l'appétit, je n'ai même plus envie de goûter ; je mange mon petit pain du bout des dents, en grignotant.

Grille

Les grilles des fenêtres du
rez-de-chaussée ont des barreaux
serrés pour que personne ne puisse
passer entre eux.
■ Les parents de Gladys ont fait grillager
leurs fenêtres. Elle ne peut plus
se pencher, mais elle regarde à travers
les trous du grillage en fil de fer tressé.

Grimace

Emmanuel fait un pied de nez.
Séverine lui tire la langue ! C'est un vrai
concours de grimaces ! C'est à celui qui
sera le plus grimaçant, qui déformera
le plus son visage.

Grogner

Qu'est-ce que tu as encore à grogner ?
Je ne comprends pas un mot de ce que
tu dis ! Décidément, tu n'es jamais
content, tu ronchonnes toujours.
Je me demande pourquoi tu es si
grognon.

Gronder

Voici l'orage, on entend gronder
le tonnerre. Chaque fois que
le grondement du tonnerre se fait
entendre, Gladys vient se réfugier
dans les bras de papa.
■ Coralie est sortie malgré l'averse.
Maman était en colère, elle a grondé
Coralie.

Gros

Luc est maigre, Louis est gros.
Luc devrait grossir un peu, Louis devrait
maigrir d'autant.
■ Ils ont trié les pommes pour les
ranger selon leur grosseur : les petites
dans un panier, les plus grosses dans un

Groupe

Je m'approche d'un <u>groupe</u> de filles parmi lesquelles je reconnais Patricia et Fabienne. Elles sont <u>groupées</u> autour de Sylvie qui montre son nouveau stylo. La cloche sonne, les élèves se dispersent pour se <u>regrouper</u> par classe.

Guêpe

Un insecte vole autour de moi. C'est une <u>guêpe</u>. Elle a quatre ailes ; son corps allongé, plus fin près de la tête, est rayé de jaune et noir. Attention au nid de <u>guêpes</u> ! Elles y vivent rassemblées. Les femelles ont un aiguillon et pourraient me piquer.

Guérir

Si tu veux guérir vite, il faut avaler ces médicaments. - Quand je serai <u>guéri</u>, que je ne serai plus malade, je pourrai manger des glaces ? demande Mathias. - Si tu te laisses soigner, la <u>guérison</u> sera plus rapide et tout sera comme avant.

Guetter

J'attends le facteur. Il doit apporter l'illustré auquel je suis abonné. Je me tiens sur le pas de la porte pour le <u>guetter,</u> pour le voir arriver. Il y a longtemps que je fais le <u>guet</u>, que j'observe les passants.

Gueule

Quand mon chien a ouvert la <u>gueule</u>, j'ai vu ses crocs pointus. Ce n'est pas étonnant qu'il mange d'aussi gros morceaux de viande avec de telles dents !

Guidon

Si tu lâches les poignées du <u>guidon</u> de ta bicyclette, elle ne sera plus dirigée et tu risqueras de tomber. Maintiens-le droit pour aller droit, mais pour aller à gauche, tourne le <u>guidon</u> à gauche. C'est à toi de <u>guider</u> ta bicyclette en te servant du <u>guidon</u>.

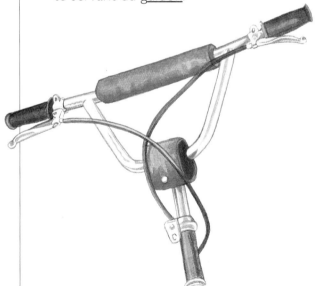

Guirlande

Nous avons décoré la classe avec des <u>guirlandes</u>. Nous avons tressé ensemble de longs rubans de papier de toutes les couleurs, puis nous les avons suspendus.

Guitare

La <u>guitare</u> est un instrument de musique. Elle a six cordes que l'on pince avec les doigts.

Gymnastique

Debout, allongé sur le ventre, sur le dos ou sur les côtés, Paul fait des mouvements de bras, de jambes, de tout le corps : il fait de la <u>gymnastique</u> pour rester souple, être musclé, avoir des forces.

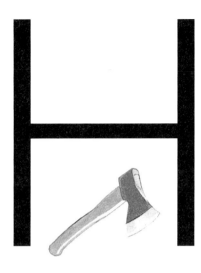

encore s'<u>habiller</u> seule mais elle sait <u>déshabiller</u> sa poupée, lui retirer ses habits.

Habile

Claude casse tout ! Heureusement, Gérard est très <u>habile</u>. Il est adroit et comprend vite ce qu'il faut faire pour réparer les dégâts. Il s'y prend bien, avec <u>habileté</u> : un objet réparé par lui a l'air d'être neuf. Il a habilement recollé l'assiette cassée.

Habiller

Pénélope sort du bain. Maman l'essuie avant de l'habiller, de lui mettre des vêtements. Pénélope ne sait pas

Habitude

Gladys est de mauvaise humeur. C'est étonnant : ce n'est pas son <u>habitude</u>, ce n'est pas son comportement <u>habituel</u>. C'est exceptionnel : <u>habituellement</u>, elle est de bonne humeur.

Hacher

Cyril est encore trop petit pour mâcher la viande. Il faut la <u>hacher</u> avant de la lui donner. Le <u>hachoir</u> la découpe en menus morceaux. Cyril mange ce <u>hachis</u> mêlé à la purée.

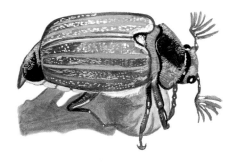

Hanneton

Le <u>hanneton</u> est un insecte. Il est roux ;
il a quatre ailes. Deux lui servent à
voler ; les deux autres plus dures,
les recouvrent comme des étuis.
Ce sont ses élytres. Il possède aussi
des antennes.

Haricot

Les <u>haricots</u> sont des plantes ; ce sont
des légumes. On en mange les fruits
- ce sont les <u>haricots verts</u> - ou les
graines - ce sont les petites fèves qui
se trouvent à l'intérieur de la gousse.

Harmonica

L'<u>harmonica</u> est un instrument
de musique si peu encombrant
qu'Emmanuel en a toujours un dans
sa poche. Il joue les airs qu'il aime
en soufflant dans les petits tuyaux
assemblés côte à côte.

Harpe

La <u>harpe</u> est un instrument de musique.
C'est un instrument à cordes tendues
dans un cadre. Mathilde apprend
à pincer les cordes de la <u>harpe</u>.

Hasard

Roland et Philippe se sont rencontrés
dans l'avion, par <u>hasard</u>.
C'était imprévu : chacun d'eux ignorait
que l'autre aussi partait.

Haut

Un mur sépare les jardins de Gladys et Pénélope. Il est si haut qu'elles ne peuvent pas se voir, même en levant la tête. Parfois, pour se parler malgré la hauteur du mur, elles grimpent en haut d'une échelle.

Herbe

Pendant que Coralie se roule dans l'herbe, Clémentine cherche des herbes pour sa collection. Elle en cueille une de chaque sorte et les dispose entre les pages d'un cahier. C'est son herbier. Elle écrit le nom de chaque petite plante.

Hérisson

Le hérisson est un animal.
Son corps est couvert de piquants, couchés en temps normal, redressés quand il se sent en danger.
Il se met en boule pour se défendre.
Le hérisson se nourrit d'insectes, de vers, de limaces.
C'est un mammifère.

Hésiter

Fabienne ne sait quel gâteau choisir : celui-là ou cet autre ? Elle peut hésiter longtemps sans se décider.
Ses hésitations m'agacent !

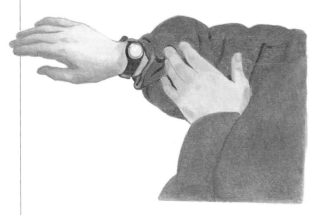

Heure

Jérémie est fier de savoir lire l'<u>heure</u> sur sa montre neuve. Il annonce qu'il est cinq <u>heures</u>. Il sait que maman sera de retour dans une <u>heure</u>, juste le temps qu'il faut à la grande aiguille pour faire un tour complet du cadran.

Heureux

Je devais aller chez Roland, j'étais heureux de le revoir et je crois qu'il était content, lui aussi. C'était une vraie joie. Malheureusement, je n'ai pas pu partir : quelle malchance ! Par bonheur, tout s'arrange : je partirai bientôt.

Hibou

Le <u>hibou</u> est un animal. C'est un oiseau qui se déplace et chasse la nuit.
Il a la tête ronde, des oreilles droites, de gros yeux ronds et dorés.
Il a des griffes puissantes.
C'est un rapace.

Hippopotame

L'<u>hippopotame</u> est un animal trapu, capable de vivre sur terre et dans l'eau.
Sa peau brunâtre est très épaisse.
Il a quatre doigts à chaque patte.
C'est un mammifère.

Hirondelle

L'hirondelle est un oiseau. Son plumage est généralement noir et blanc.
Son bec est court et pointu. L'hirondelle voit très loin. Ses longues ailes fines et sa queue fourchue lui donnent un vol rapide. Elle peut voler longtemps.

Histoire

Viens, je vais te raconter une histoire.
« Une histoire vraie ou un conte de fées ? demande Séverine. - C'est une histoire qui aurait pu être vraie, puisqu'elle raconte la vie d'une petite fille. »

Homme

Cyril est un bébé de sexe masculin.
C'est un garçon. Quand il sera adulte, il sera un homme. Les hommes, les femmes et leurs enfants sont des êtres humains.

Hôpital

Fabienne est malade. On l'emmène à l'hôpital où elle sera soignée par des médecins et des infirmières. Elle est dans une salle où d'autres enfants, comme elle, sont hospitalisés. Papa et maman iront la voir chaque jour durant son hospitalisation.

Horticulteur

L'horticulteur cultive des fleurs, des légumes, des arbres fruitiers.
Des gens lui achètent des plants de salades, de poireaux, de fraisiers.
Ils les repiquent dans leur jardin où ils finissent de pousser.

Houblon

Le <u>houblon</u> est une plante. Sa tige s'élève en s'enroulant sur les plantes voisines. On utilise les fleurs de <u>houblon</u> dans la fabrication de la bière.

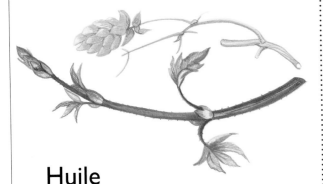

Huile

L'huile d'<u>olive</u> est un liquide jaune et gras obtenu en pressant les fruits de l'<u>olivier</u>. Pour cuisiner, on utilise aussi des huiles extraites des graines de certaines plantes : l'arachide, le maïs, le colza, le tournesol…

Humeur

Roland a un heureux caractère, il est toujours d'<u>humeur</u> égale. En revanche, on ne sait jamais comment sera Claude, s'il sera bien ou mal disposé, s'il sera de bonne <u>humeur</u> ou de mauvaise <u>humeur</u>.

Hurler

Quand Jean-Louis s'est aperçu qu'on lui avait pris ses bonbons, il s'est mis à <u>hurler</u> : il poussait de longs cris aigus. On entendait ses <u>hurlements</u> dans toute la maison.

Idée

As-tu idée de ce que nous pourrions faire ? - Non, je n'y ai pas encore réfléchi, je vais y penser et, sûrement, une idée me traversera la tête.
- Que penserais-tu d'aller à la piscine ?
- D'accord, c'est une bonne idée !

Igloo

L'igloo est la maison de certains Esquimaux. Ils la construisent avec des blocs de neige qu'ils posent les uns sur les autres.

Ignorer

C'est gênant d'ignorer la langue parlée par les enfants de la classe. Djamila apprend le français pour les comprendre et leur parler. Bientôt, elle ne sera plus dans l'ignorance de leur langue, elle la connaîtra.

Ile

Au milieu de la rivière, il y a une large étendue de terre couverte de buissons et peuplée d'oiseaux. C'est une île. Parfois, Emmanuel s'y rend en barque. Seul, entouré d'eau, il rêve qu'il a fait naufrage sur une île déserte.

Illustrer

Séverine invente des poèmes qu'elle écrit sur les pages de son cahier. Elle les accompagne de dessins pour les illustrer, pour les raconter en images. Parfois, à la place d'un dessin, elle colle une photo en guise d'illustration.

Imaginer

Je peux <u>imaginer</u> la maison de Coralie ;
je me la représente, car elle m'en parle
souvent. Demain, je verrai si la maison
de mon <u>imagination</u> ressemble
à la réalité. Ou alors, je saurai si j'ai
inventé une maison qui n'existe pas,
une maison <u>imaginaire</u>. ■ Séverine sait
s'occuper toute seule. Elle <u>imagine</u> des
jeux; elle est <u>imaginative</u>.

Imiter

Pénélope s'efforce d'imiter Clémentine
qu'elle prend toujours en exemple.
Elle copie ses manières et sa façon
de parler. Elle fait une parfaite imitation
de Clémentine.
■ Séverine fait des grimaces <u>inimitables</u>;
Emmanuel ne parvient pas à les <u>imiter</u>.

Immédiatement

Sylvie a trouvé la montre que Fabienne
avait perdue. Elle veut la lui rapporter
immédiatement, sans attendre.
Rien ne presse, car dans l'immédiat,
en ce moment, Fabienne est absente.

Immense

La mer est <u>immense</u> : elle est si grande
qu'on ne peut en voir toute l'étendue.
De la plage, je n'en aperçois pas
les limites.

Immigrer

José vient d'arriver dans ma classe.
Avant, il était loin d'ici, dans un autre
pays où il est né. Ses parents ont quitté
leur pays pour <u>immigrer</u> en France,
pour y venir habiter et travailler.

Imperméable

Il pleut, n'oublie pas de mettre
ton <u>imperméable</u>, sinon tu seras trempé.
Ton vêtement de pluie est fait dans
une matière <u>imperméable</u> : l'eau
ne peut pas la traverser, elle glisse
dessus.

Important

Maman cherche son passeport.
Il faut qu'elle le retrouve car il est
encore nécessaire pour entrer dans
certains pays. Elle attache beaucoup
<u>importance</u> à ses voyages, elle tient
beaucoup à les faire.

Imposer

Je t'ai demandé gentiment de te taire et
tu n'en fais rien. Je vais être obligée de
t'<u>imposer</u> le silence : cela ne se passera
pas gentiment du tout !

Imprimer

Nous écrivons des textes que
nous allons <u>imprimer</u>.
Nous composerons chaque page
en assemblant des caractères
d'<u>imprimerie</u> ; nous appliquerons dessus
une encre spéciale et nous presserons
des feuilles de papier sur
cette préparation. Nos textes seront
reproduits, ils seront <u>imprimés</u>.
Nous voilà <u>imprimeurs</u>.

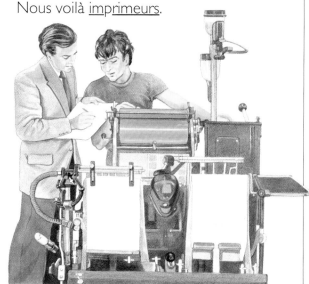

Incendie

J'entends l'avertisseur d'une voiture
de pompiers. Lorsque je sors,
les pompiers s'efforcent déjà d'éteindre
l'<u>incendie</u> allumé dans un chantier
proche. On ne sait pas comment le feu
a pris, mais les flammes détruisent
tout ce qui peut brûler.

Incliner

Si tu voulais <u>incliner</u> cette branche
vers moi, la tirer vers le bas, je pourrais
cueillir des cerises. Tire encore un peu,
l'<u>inclinaison</u> est insuffisante, je ne peux
pas atteindre la branche.

Index

Je crois que mon <u>index</u> est le plus actif
de mes doigts ! Il est placé juste après
le pouce. Je le tends vers les objets
que je veux montrer, pour les <u>indiquer</u>
aux personnes qui doivent les voir.

Individuel

Patricia n'aime que les sports collectifs,
ceux que l'on pratique à plusieurs
comme le volley-ball et le football.
Fabienne, elle, n'aime que les sports
<u>individuels</u> qu'elle peut pratiquer seule,
comme la natation ou le cyclisme.

Infirmière

Quand Fabienne était à l'hôpital,
des <u>infirmières</u> s'occupaient d'elle
et des autres malades. Elles faisaient
les piqûres, les pansements,
tous les soins ordonnés par
les médecins. Elles allaient chercher
les médicaments rangés dans
la pharmacie de l'<u>infirmerie</u>.

Information

Roland arrive demain par le train de
12 heures - Qui te l'a dit ?
- C'est un employé du bureau
de renseignements qui m'a donné
cette <u>information</u>. Il est là pour <u>informer</u>
les gens, leur donner les renseignements
dont ils ont besoin.

Inonder

Voilà cinq jours qu'il pleut. Si la pluie
continue, la rivière va déborder
et tout <u>inonder</u>. Les champs seront
recouverts d'eau. Si l'<u>inondation</u> est
importante, l'eau arrivera
jusqu'aux maisons.

Inquiet

C'est la première fois que
Coralie s'en va seule faire une course.
Papa est <u>inquiet</u>, il craint que Coralie
ne traverse n'importe où. « Ne te fais
pas de souci, sois sans <u>inquiétude</u>,
Coralie sait qu'elle doit traverser
quand le feu est vert pour les piétons »,
dit maman.

Insecte

Les <u>insectes</u> sont des petits animaux.
Ils ont six pattes et très souvent
des ailes. L'abeille, la coccinelle, la guêpe,
le hanneton sont des <u>insectes</u>,
et il y en a beaucoup d'autres.
Certains sont nuisibles et,
pour s'en débarrasser, les jardiniers
les détruisent avec des <u>insecticides</u>.

Insister

« Excuse-moi d'insister, de te poser
encore la même question, mais
je suis sûre que personne, à part toi, n'a
utilisé le ballon. Alors, où est-il ? »
demande Corinne à son frère agacé par
son insistance.

Installer

On vient d'apporter un bureau.
C'est pour l'installer dans la chambre
de Jérémie. Il est content de
cette installation, il travaillera plus
aisément.

Instant

Ne pars pas sans moi, je suis prête
dans un instant, dans un court moment.
Où est mon cartable ? Je l'avais
à l'instant, je ne l'ai plus.

Instituteur

Cette année, à l'école, nous avons
un maître, un instituteur. L'an dernier,
nous avions une maîtresse,
une institutrice. J'aimais apprendre
avec elle.

Instrument

C'est la rentrée des classes.
Clémentine prépare ses instruments
de travail : des crayons pour écrire,
une gomme pour effacer, une règle
pour tirer des traits, des ciseaux
pour découper.

Intelligent

Jérémie est <u>intelligent</u>. Curieux de tout,
il questionne, réfléchit, comprend
facilement ce qu'on lui dit.
S'il ne comprend pas,
il a l'<u>intelligence</u> de demander
des explications.

Interdire

Emmanuel prétend <u>interdire</u> à Séverine
l'entrée de sa chambre. Elle est furieuse:
« Entrée <u>interdite</u>, sens <u>interdit</u>,
stationnement <u>interdit</u>, des <u>interdictions</u>,
toujours des <u>interdictions</u> ! Je voudrais
savoir ce qui est autorisé !… »

Intérêt

J'ai regardé le film avec beaucoup
d'<u>intérêt</u>. Pas un moment je n'ai détaché
mes yeux de l'écran tellement c'était
<u>intéressant</u>. On nous a montré
le laboratoire de l'espace mais toi,
cela ne t'aurait pas <u>intéressé</u> : tu n'aimes
que le football.

Intérieur

Vostock est entré dans sa niche.
De l'<u>intérieur</u> de son abri, il regarde
la pluie tomber. Il ne veut pas en sortir,
même pour rejoindre Cyril à l'<u>intérieur</u>
de sa maison. Il ne veut pas aller à
l'<u>extérieur</u>.

Interroger

Pourquoi ? Comment ? Ce sont
les mots préférés de Gladys.
Elle ne se lasse jamais d'<u>interroger</u>,
de poser des questions. Elle exige qu'on
réponde à ses <u>interrogations</u>. Elle veut
savoir.

Inventer

« Je voudrais <u>inventer</u> une machine
à monter les étages », dit Clémentine.
Il faudra qu'elle <u>invente</u> autre chose ;
cette <u>invention</u>-là a déjà été faite !
C'est l'ascenseur.

Inviter

Qui veux-tu <u>inviter</u> pour fêter ton
anniversaire ? demande maman.
- Tous mes amis, répond Pénélope.
Je leur demanderai de venir chez nous
ce jour-là ; j'espère qu'ils accepteront
mon <u>invitation</u>.

Ironie

« Quel merveilleux archer ! »
dit Jocelyne à Alain qui a manqué
la cible. Alain n'apprécie pas l'<u>ironie</u> de
Jocelyne : « Avant de te moquer de
moi, d'<u>ironiser</u>, montre donc ce que
tu sais faire. »

Isba

Cyril aime entendre papa raconter l'histoire de Baba Yaga la vilaine sorcière : Il y a très longtemps, Baba Yaga habitait une <u>isba</u> au fond de la forêt russe. C'était une petite maison en bois de sapin.

Isoler

Clémentine a la scarlatine. On doit l'<u>isoler</u> des autres enfants, car c'est une maladie contagieuse. Elle n'aime pas être séparée de ses camarades, elle supporte mal l'<u>isolement</u> : elle aime la compagnie.

Issue

Nous nous sommes trompés de chemin : on ne peut plus avancer dans cette direction, c'est une rue sans <u>issue</u>, sans aucun passage. Retournons sur nos pas pour trouver une <u>issue</u>, un autre endroit où passer.

Itinéraire

« Je ne connais pas la route pour aller chez toi », dit Philippe à Roland. « Ne crains rien, lui répond-il, j'ai fait le plan, j'ai tracé l'<u>itinéraire</u>, tout le parcours de chez toi à chez moi. »

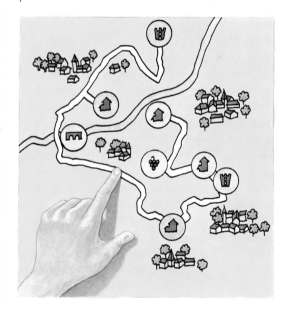

J-K

Jacinthe

La jacinthe est une plante. Ses feuilles étroites et allongées entourent une tige droite qui porte une grappe de petites fleurs parfumées. Il y a des jacinthes roses, bleues, mauves et blanches.

Jaloux

Jean-Louis boude : Philippe a un vélo et lui n'en a pas. Il est jaloux : il voudrait que le vélo de Philippe soit le sien ou avoir exactement le même. Philippe ne comprend pas cette jalousie : « Je ne le jalouse pas, dit-il, et pourtant, il a plus de choses que je n'en ai. »

Jardin

Dès que je suis levé, j'ouvre la porte qui donne sur le jardin.
Une grille l'entoure. Un espace est réservé pour les jeux. Tout le reste du terrain est cultivé. Papa aime jardiner : il fait pousser des légumes et des fleurs. Le voisin n'aime pas le jardinage. Il demande au jardinier de venir s'occuper de son jardin.

Jeter

Ta bouée est percée, elle ne peut plus servir ; tu devrais la jeter,
t'en débarrasser. D'ailleurs, tu n'en as plus besoin : hier tu t'es jeté à l'eau, tu as sauté du plongeoir sans bouée, et tu as très bien nagé.

Jeune

Grand-mère n'est pas très âgée, mais, bien sûr, elle n'est plus très <u>jeune</u>. Ce n'est pas comme moi qui n'ai que sept ans. Elle me parle souvent de sa <u>jeunesse</u>, de sa vie depuis sa naissance jusqu'à la naissance de ses enfants. Nous les <u>jeunes</u>, nous aimons bien écouter ses histoires.

Jeûner

Le médecin a conseillé à Roland de <u>jeûner</u> tout un jour pour reposer son estomac. « Et demain, a-t-il dit, encore à <u>jeun</u>, avant de manger quoi que ce soit, prenez ce médicament. »

Joie

« Tu ne peux pas savoir comme je suis content ! Je suis fou de <u>joie</u> ! J'ai l'autorisation de camper avec mes copains » , annonce Emmanuel. Rien ne pouvait lui faire plus plaisir, le rendre aussi <u>joyeux</u>.

Joli

Décidément, Gladys est de plus en plus <u>jolie</u>. Elle est gracieuse, charmante, agréable à voir. Ce matin elle est habillée <u>joliment</u> : sa robe lui va bien.

Jongler

Sais-tu faire ce que je fais ? Je sais <u>jongler</u> avec trois balles. Je les lance d'une main, je les attrape de l'autre. Il y en a toujours une en l'air et une dans chaque main. - Tes <u>jongleries</u> ne m'épatent pas : au cirque, j'ai vu un <u>jongleur</u> qui jouait avec des assiettes !

Jouet

Coralie possède beaucoup de <u>jouets</u> : des animaux en peluche, des poupées, des camions, des puzzles. Elle n'aime pas <u>jouer</u> seule : il lui faut la compagnie d'autres enfants pour s'amuser.

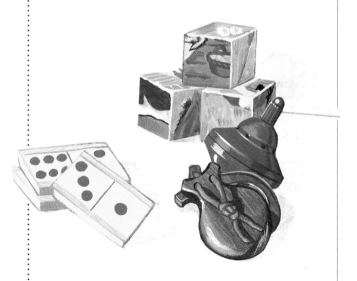

Journal

Papa et maman lisent un <u>journal</u>
pour savoir ce qui se passe chaque jour
dans le monde.
Des <u>journalistes</u> ont écrit pour raconter
les événements importants, graves ou
joyeux, dont ils ont connaissance.

Juste

Ton problème est <u>juste</u>, Fabienne ;
tu as trouvé la bonne solution.
Va vite jouer !
■ Je ne joue plus avec Caroline depuis
qu'elle m'a fait punir <u>injustement</u> :
c'est elle qui a cassé l'aquarium et
elle a dit que c'était moi.
J'ai été punie à sa place,
c'est une <u>injustice</u> !

Kangourou

Le <u>kangourou</u> est un animal. Ses pattes
de devant sont plus courtes que celles
de derrière. Il se déplace en sautant.
C'est un mammifère. Le ventre
de la femelle forme une poche.
Elle y abrite ses petits.

Kilo

Ce petit mot est un grand nombre :
1 000 ! Quand je pèse un <u>kilogramme</u>
de viande, j'en pèse mille grammes.
Quand je marche un <u>kilomètre</u>, je
parcours mille mètres. « Et quand je
te donne un ''<u>kilobise</u>'' ? » demande
Séverine qui aime inventer des mots.

Koala

Le <u>koala</u> est
un animal
au pelage gris
très fourni.
Il ressemble
à un ourson. Il
grimpe aux
arbres avec
agilité. C'est
un mammifère.

L

Labourer

Avant de semer, il faut préparer la terre, la <u>labourer</u>. Un laboureur conduit la charrue qui ouvre la terre et la retourne. Le <u>labourage</u> est un travail très important.

Lacet

Regarde tes chaussures : les <u>lacets</u> ne sont pas passés dans tous les trous et les cordons ne sont pas noués ! Prends le temps de <u>lacer</u> tes chaussures.

Laine

« Oh ! le monsieur coupe les cheveux du mouton ! » s'écrie Gladys qui voit le fermier tondre la <u>laine</u> du mouton. Quand la <u>laine</u> sera transformée en fil, on pourra la tisser ou la tricoter.

Lait

La fermière trait ses vaches, elle récolte leur <u>lait</u>. Elle verse un peu du liquide blanc encore tiède dans un bol pour Mathias qui le boit. Il aime les <u>laitages</u>, tous les produits fabriqués avec du <u>lait</u>, surtout le beurre et les fromages.

Lapin

Le <u>lapin</u> est un animal. Il a de grandes oreilles, une petite queue, une fourrure très douce. C'est un mammifère. Les <u>lapins</u> domestiques sont élevés dans des clapiers. Les <u>lapins</u> sauvages creusent des terriers pour s'y abriter.

Large

Autrefois, de <u>larges</u> trottoirs bordaient
la rue où j'habite. C'était bien :
les enfants avaient la place de jouer.
On a diminué la <u>largeur</u> des trottoirs
pour <u>élargir</u> la chaussée ; cela facilite
la circulation des voitures.

Larme

Pourquoi pleures-tu ? demande Danièle.
- Je ne pleure pas, répond Séverine.
- Comment ? Des <u>larmes</u> coulent
de tes yeux, tes joues sont humides
et tu prétends ne pas pleurer, reprend
Danièle. Qui t'a fait de la peine ?

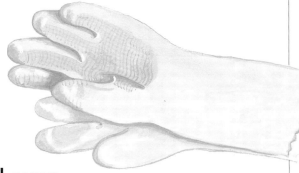

Laver

Va te <u>laver</u> les mains, dit maman à
Roland qui rentre de l'école.
Savonne-les bien et rince-les. Tu
mangeras quand tes mains seront
propres. Pendant ce temps, je mets le
linge sale dans la <u>machine à laver</u>.

Léger

Veux-tu que je porte ton sac ?
- Ce n'est pas nécessaire : il est <u>léger,</u>
je n'ai pas de peine à le soulever.
En revanche, j'ai chaud, je suis trop
couverte. Je vais m'habiller
plus <u>légèrement</u>, mettre une
robe <u>légère</u>.

Lent

Comme tu es <u>lent</u> ! Dépêche-toi
un peu ! Si tu n'es pas plus rapide,
nous serons en retard. Ne marche pas
si <u>lentement</u>, accélère ton pas.
Tu te déplaces à la <u>lenteur</u> d'une tortue.

Lever

Allons, debout ! Il est temps de te <u>lever</u>.
Tes vêtements sont dans l'armoire,
sur l'étagère la plus <u>élevée</u>, celle du haut.
■ Ta chaise est tombée, <u>relève</u>-la,
ne la laisse pas à terre.

Libellule

La <u>libellule</u> est un animal. Son corps frêle
est allongé. Elle a quatre ailes
transparentes à fines nervures. Elle vole
généralement au-dessus de l'eau.
C'est un insecte.

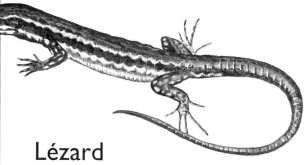

Lézard

Le <u>lézard</u> est un animal. Son corps
allongé, supporté par quatre courtes
pattes, est recouvert d'écailles. Sa queue
est longue, souple, effilée.
C'est un reptile.

Libre

Nous avions un écureuil ; il n'a pas
accepté d'être notre prisonnier. Il voulait
être <u>libre</u>, n'appartenir à personne.
Il a réussi à se <u>libérer</u>, à quitter sa cage.
Il a trouvé la <u>liberté</u> et vit <u>librement</u> .

Ligne

Le long de la règle posée sur ma feuille, je trace des <u>lignes</u> droites avec mon crayon. J'écris sur les <u>lignes</u>, ni en dessous, ni au-dessus : mes lettres sont <u>alignées</u>. Je souligne certains mots : je tire un trait sous ces mots-là.

Lilas

Le <u>lilas</u> est un arbrisseau. Au printemps, ses branches portent des grappes de petites fleurs très parfumées, violettes, mauves ou blanches.

Lion

Le <u>lion</u> est un animal. Il a le pelage roux, la tête entourée d'une crinière brune et une queue terminée par une touffe de poils. Il chasse les animaux et se nourrit de leur chair. C'est un mammifère. Le petit du <u>lion</u> et de la <u>lionne</u> est un <u>lionceau</u>.

Lire

Depuis cette année, je sais <u>lire</u> : je comprends la signification des mots écrits ou imprimés. J'aime <u>lire</u> : c'est agréable la <u>lecture</u> ! Mais j'ai reçu une lettre si mal écrite qu'elle n'est pas <u>lisible</u> facilement.

Lit

Si tu as sommeil, va dormir : le <u>lit</u> est préparé dans la chambre à coucher. Tu te reposeras bien, car j'ai changé toute la <u>literie</u> : le sommier, le matelas et l'oreiller sont tout neufs.

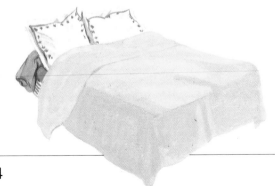

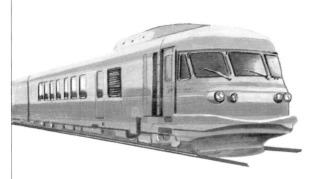

Locomotive

Gladys a placé les wagons de son train électrique sur les rails. Ils ne peuvent pas rouler s'ils ne sont pas accrochés à la <u>locomotive</u>. La <u>locomotive</u> est la machine qui entraîne les wagons.

Loin

Roland habite <u>loin</u> d'ici, à une longue distance de chez moi. Je l'ai accompagné quand il a pris le bateau pour aller dans ce <u>lointain</u> pays. J'ai regardé le bateau s'<u>éloigner</u>, jusqu'au moment où je ne pouvais plus le voir.

Long

As-tu un drap plus <u>long</u> ? Celui-ci ne couvre pas la <u>longueur</u> du matelas : il est trop court. ■ Je vais m'allonger, m'étendre de tout mon <u>long</u>. Je resterai couché peu de temps, pas très <u>longtemps</u>.

Loterie

A la fête foraine, il y a une <u>loterie</u>. Un homme fait tourner une grande roue portant des numéros. Quand elle s'arrête, il annonce : « Le 15 est gagnant. » Je n'ai pas de chance : j'ai joué le numéro 17, j'ai perdu ! Fabienne a gagné, elle a droit à un lot : on lui donne une poupée.

Loup

Le <u>loup</u> est un animal. Il ressemble au chien, mais son museau est plus pointu. Il a des oreilles droites et la queue touffue. Il mange la chair des animaux qu'il chasse. C'est un mammifère.

Lourd

Je me demande ce que tu as mis dans ta valise : elle pèse si <u>lourd</u> que je ne peux pas la soulever. Enlève une partie des affaires pour les mettre dans une autre valise. Ainsi, tes valises ne seront pas trop <u>lourdes</u>.

Lumière

Durant le jour, nous voyons clair grâce à la <u>lumière</u> du soleil. Le soir, à la maison, nous nous éclairons en <u>allumant</u> des lampes électriques. Au dehors, on voit briller les enseignes <u>lumineuses</u>.

Lunettes

Alain porte des <u>lunettes</u> pour corriger sa vue, pour voir plus nettement. Il regarde à travers les verres fixés dans une monture et tenus par des branches qu'il pose sur ses oreilles.

Lutter

Face à face, Philippe et Roland se préparent à <u>lutter</u>. Ils ne peuvent se servir que de leur bras pour se combattre. Chacun des <u>lutteurs</u> veut être le plus fort et le plus agile.

Maçon

Le <u>maçon</u> bâtit les murs en coulant du béton ou en disposant des briques ou des pierres les unes sur les autres. Il les fait tenir ensemble avec du ciment. La <u>maçonnerie</u> est une partie importante de la construction.

Magie

Philippe fait de la <u>magie</u> : il dit des mots <u>magiques</u> comme : « Abracadabra », et des objets apparaissent <u>magiquement</u> dans ses mains puis disparaissent. Comment fait-il ? Je ne peux pas l'expliquer, mais je suis sûr qu'il y a un truc.

Magnétophone

Le <u>magnétophone</u> est un appareil qui fonctionne à l'électricité. Il enregistre les voix et tous les bruits qu'on veut garder pour les écouter quand on en a envie.

Magnétoscope

"A la télé, les émissions intéressantes, c'est toujours quand je ne peux pas les regarder", disait souvent Julia. Maintenant qu'elle dispose d'un <u>magnétoscope</u>, elle peut elle-même les enregistrer sur des cassettes, à partir de son récepteur de télévision et les diffuser aussi souvent qu'elle le souhaite.

Maïs

Le <u>maïs</u> est une plante. Sa tige est longue et droite. Ses feuilles sont larges et allongées. On consomme son fruit formé de petits grains jaunes serrés autour d'un gros épi.

Maison

Connais-tu ma <u>maison</u> ? Elle a un toit de tuiles, des murs de pierres, de larges fenêtres et une porte en bois.

Malade

Caroline n'est pas à l'école ce matin.
Elle est <u>malade</u>. Hier, déjà, elle
se plaignait d'avoir mal à la tête.
Maman a fait venir le docteur. Il a dit
que Caroline a la rougeole. Ce n'est pas
une maladie grave,
elle sera
bientôt guérie.

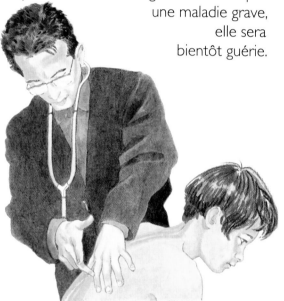

Malice

Qui a caché mon livre ? Je suis sûre que
c'est encore une <u>malice</u> de Clémentine !
- Devine où je l'ai mis, dit Clémentine
d'un air <u>malicieux</u>, en souriant à l'idée de
la farce qu'elle me joue.

Manger

Il faut <u>manger</u> pour vivre, se nourrir,
avaler des aliments après les avoir
mâchés. Nous <u>mangeons</u> dans une salle
à manger ou à la cuisine.
■ La nourriture des animaux leur est
servie dans des <u>mangeoires</u>.

Manifestation

Sais-tu ce qui se passe ici ?
- Oui. C'est une <u>manifestation</u>. Des gens
sont rassemblés autour d'un homme qui
parle dans un micro. Ils <u>manifestent</u>,
ils font savoir qu'ils souhaitent que
leur ville soit propre. Les manifestants
en réclament le nettoyage.

Marchand

Gladys et Pénélope jouent
à la marchande. Elles ont fait
des étalages en réunissant toutes sortes
d'objets. Ce sont leurs marchandises.
Gladys dit à Pénélope : « On serait au
marché. Je serais le marchand qui vend
des téléviseurs. Toi, tu serais la cliente
qui en achète un. »

Marcher

Depuis peu de temps, Cyril sait
marcher. Il avance timidement un pied
puis l'autre. Sa démarche est encore
hésitante, on dirait qu'il va tomber.
Bientôt, sa marche sera plus assurée,
il se promènera, fera de longues
marches.

Marguerite

La marguerite est
une plante.
Ses fleurs ont
de nombreux
pétales blancs
allongés et
disposés en
collerette autour
d'un cœur jaune.

Marionnette

Au-dessus d'un paravent, des petits
personnages se déplacent et discutent
ensemble. Ce sont des marionnettes.
On reconnaît les voix de Séverine
et de Clémentine cachées derrière
le paravent. Elles tiennent
les marionnettes et les font bouger.

Marmotte

La marmotte est un animal au pelage
épais de couleurs beige et brun. Elle vit
en montagne. Elle s'endort durant tout
l'hiver. C'est un rongeur.

Marquer

Nous avons les mêmes livres. Je vais <u>marquer</u> le mien pour le reconnaître. Je colle une pastille rouge sur la couverture. En voyant cette <u>marque</u>, je saurai qu'il s'agit de mon livre.

Marteau

Le <u>marteau</u> est un outil composé d'un bloc de métal pour recevoir le manche en bois. Avec un <u>marteau</u>, on frappe sur les clous pour les enfoncer : on <u>martèle</u>.

Masque

Je n'ai pas reconnu Alain : son visage est recouvert d'un <u>masque</u>. Il l'a découpé dans un carton rigide et l'a décoré. Pourquoi est-il <u>masqué</u> ?
C'est la Mi-Carême ; il s'est déguisé pour participer à une <u>mascarade</u>.

Matin

J'ai passé une bonne nuit : j'ai dormi d'une traite jusqu'au <u>matin</u>.
Même le dimanche, je suis <u>matinale</u>, je me lève tôt le <u>matin</u>, peu après le commencement du jour. Jusqu'à midi, j'ai toute la <u>matinée</u> pour faire mille choses intéressantes.

Méchant

Cyril a cassé mon camion, il est <u>méchant</u>, raconte Gladys en pleurant. - Non, lui dit maman, il n'a pas fait cela <u>méchamment</u> : il ne voulait pas te faire de la peine. Il ne l'a pas fait exprès, ce n'est donc pas de la <u>méchanceté</u>.

Médecin

Pour devenir <u>médecin</u> il faut apprendre à reconnaître les maladies, à soigner les malades, à les guérir. Il y a eu une visite <u>médicale</u> à l'école pour vérifier si les élèves sont en bonne santé. Plus tard, je ferai des études de <u>médecine</u>.

Mélange

Pénélope adore le diabolo-grenadine. C'est un <u>mélange</u> de limonade et de sirop de grenadine. On verse le sirop dans la limonade pour le <u>mélanger</u> à elle. Lorsque les deux liquides sont <u>mêlés</u>, on obtient une boisson nouvelle.

Mémoire

Je me souviens des paroles d'une chanson apprise l'an dernier. J'ai de la <u>mémoire</u> ! Je me la rappelle entièrement. Bien que je ne l'aie plus chantée, je ne l'ai pas oubliée.

Menace

« Si tu ne me donnes pas ton goûter, je ne te parle plus », déclare Jean-Louis. La <u>menace</u> fait rire Séverine : « Tu crois m'impressionner avec cet air <u>menaçant</u> ? Eh bien ! c'est raté, je ne cède pas. »

Mensonge

Carole raconte que le chat a mangé
le dernier gâteau. Ce n'est pas vrai,
c'est un <u>mensonge</u>. Elle ne dit pas
la vérité. C'est elle qui l'a mangé,
mais elle a choisi de <u>mentir</u> pour ne pas
se faire gronder. Quelle <u>menteuse</u> !

Menthe

La <u>menthe</u> est
une plante qui
pousse dans
les endroits humides.
Fortement parfumée,
elle est utilisée
pour faire
des bonbons,
des boissons
et même
des médicaments.

Menu

Séverine mange au restaurant avec
ses parents. Un garçon présente
le <u>menu</u>. C'est la liste des plats préparés
par les cuisiniers. Séverine a envie de
tout, mais il faut choisir, faire son <u>menu</u>.
Ce sera : melon, poulet, frites et glace.

Menuisier

Le <u>menuisier</u> taille, découpe et assemble
du bois pour en faire des meubles,
des portes, des fenêtres. Il travaille
dans un atelier de <u>menuiserie</u>.

Merci

J'ai offert une auto à Jérémie. « <u>Merci</u>
beaucoup, m'a-t-il dit, c'est gentil d'avoir
pensé à moi. Veux-tu boire quelque
chose ? - Non merci, tu es très aimable,
mais je n'ai pas soif. » Qu'on accepte ou
qu'on refuse, c'est normal de <u>remercier</u>.

Merle

Le <u>merle</u> est un oiseau. Il a des plumes noires. Le plumage de la <u>merlette</u> est brun. Leur petit est un <u>merleau</u>.
Le <u>merle</u> siffle joliment.

Mésange

La <u>mésange</u> est un oiseau
de petite taille. Elle est si familière qu'il suffit d'installer un abri pour qu'elle vienne s'y nicher. Il lui arrive même de faire son nid dans une boîte à lettres.

Métal

Mes casseroles sont en aluminium. C'est un <u>métal</u>. Il y a d'autres <u>métaux</u>, très nombreux, avec lesquels
on fabrique des machines et divers objets métalliques. Le <u>métal</u> est froid, mais il chauffe vite. On travaille
les <u>métaux</u> dans des usines
<u>métallurgiques</u>.

Métier

Le maître nous demande de répondre à la question : « Quel est le <u>métier</u> de ton père, celui de ta mère ? » Maman est infirmière. Papa est électricien.
Ils reçoivent un salaire en paiement de leur travail.

Meuble

Les déménageurs ont livré nos <u>meubles</u> et les ont disposés dans les pièces. Ils ont transporté tout notre <u>mobilier</u> dans un camion.
Maintenant que ma chambre est
<u>meublée</u>, je peux ranger mes affaires dans l'armoire et dormir dans mon lit.

Miauler

J'entends le chat <u>miauler</u>.
Ses <u>miaulements</u> m'ont réveillé.
Quelle drôle de voix il a !
Miaou… Miaou… fait-il pour m'appeler.

Midi

Quand il est <u>midi</u>, la première moitié
du jour est écoulée, douze heures ont
passé. La matinée est finie. C'est l'heure
de déjeuner. Cet <u>après-midi</u>, entre
le déjeuner et le dîner, je lirai.

Mie

Je mange la croûte de mon pain et
je garde l'intérieur, la <u>mie</u>, pour le chat.
J'éparpille les morceaux, je les <u>émiette</u>,
dans son lait. Il s'en régale jusqu'à la
dernière <u>miette</u>.

Mince

Maman coupe le gâteau en tranches
<u>minces</u> pour en donner une part
à chacun de nous. Mathias, qui est
gourmand, en voulait une plus épaisse.

Minuit

Quand il est <u>minuit</u>, un jour entier
s'est écoulé, vingt-quatre heures ont
passé. Il est 24 heures : c'est le milieu de
la <u>nuit</u>.

Miroir

Cyril est devant la glace. Le <u>miroir</u> lui renvoie son image. Il se regarde ; il est étonné de se voir.

Mobile.

Un <u>mobile</u> est accroché au plafond de ma chambre. Il est fait d'objets légers suspendus par des fils aux bouts de cintres très fins. Le moindre courant d'air les fait bouger.
Gladys s'arrête d'aller et venir pour les regarder. Elle ne bouge plus : elle est <u>immobile</u>.

Moineau

Le <u>moineau</u> est un petit oiseau au plumage brun et noir. Il est très familier, ne se gêne pas pour venir picoter près des habitations.

Mois

Jérémie est né au <u>mois</u> de juillet. C'est le septième <u>mois</u> de l'année. Il y a douze <u>mois</u> dans une année : janvier, février, mars, avril, mai, juin, juillet, août, septembre, octobre, novembre et décembre. Les uns ont 30 jours, les autres 31 . Février en a seulement 28 ou 29.

Moisson

Voici venu le temps de la <u>moisson</u>.
Le blé est mûr, il faut récolter ses épis.
Un homme, le <u>moissonneur</u>, conduit
un tracteur qui tire une <u>moissonneuse</u>.
C'est une machine agricole qui fauche
les tiges de blé.

Moitié

Emmanuel et Séverine se partagent
une orange. Pour que chacun en ait
la <u>moitié</u>, il faut qu'elle soit coupée
en deux, juste par le milieu. Les deux
<u>moitiés</u> de l'orange sont égales.

Moment

Reste ici un <u>moment</u>, je ne m'absente
pas longtemps, je reviens tout de suite.
Tu es arrivé au <u>moment</u> où je sortais,
à l'instant même où je partais.
■ Mon absence sera <u>momentanée</u>,
elle sera de courte durée, elle sera
brève.

Monde

Je voudrais connaître le <u>monde</u>,
parcourir la terre entière, voir
tous les pays du globe. J'aurais l'occasion
de rencontrer beaucoup de <u>monde</u>,
de voir beaucoup de gens.

Montagne

Marc habite tout là-haut,
sur la <u>montagne</u>. Une route grimpe
jusque chez lui. Mais, pour atteindre
le sommet du massif montagneux, il faut
<u>monter</u> encore en suivant des sentiers.

Morceau

Papa a découpé le poulet rôti pour que
chacun en mange un <u>morceau</u>.
J'étais content de ma part : on m'a
donné l'aile. C'est le <u>morceau</u> que
je préfère. Ce n'est pas facile
de <u>morceler</u> un poulet, de le couper
pour en faire plusieurs parts.

Mordre

Fabienne veut <u>mordre</u> Patricia !
Elle lui prend la main, la porte
à sa bouche et la serre entre ses dents.
La <u>morsure</u> laisse la trace des dents
de Fabienne sur la main de Patricia.
Patricia pleure : elle a mal ; Fabienne
l'a <u>mordue</u>.

Moteur

La voiture de papa, la moto
de mon frère, l'autobus roulent
parcequ'ils ont un <u>moteur</u>.
Ce sont des engins <u>motorisés</u>.
■ Tous les appareils électriques
qui sont dans la maison, la télévision,
l'ordinateur, l'aspirateur
ont des <u>moteurs</u>.

Mou

Aïe ! Qu'il est dur, ce pain ! Je préfère
le pain frais : il est <u>mou</u>, il est tendre
sous la dent. Je le coupe facilement
pour le manger avec mes œufs <u>mollets</u>.
Je le trempe dans le jaune
qui n'est pas tout à fait dur.

Mouche

La <u>mouche</u> est un animal. Elle a deux ailes et six fines pattes velues.
C'est un insecte qui apparaît avec les premières chaleurs. Elle vole surtout à la campagne, en particulier autour des fermes.

Moudre

Maman achète du café en grains pour le <u>moudre</u> dans son broyeur, pour le transformer en poudre. La maman de Cyril achète du café <u>moulu</u>, il est déjà écrasé.

Mouiller

Je ne sors pas maintenant, car il pleut.
Je ne veux pas me faire <u>mouiller</u>.
Toi, tu es sorti sous la pluie et tu es <u>mouillé</u> des pieds à la tête !
Essuie l'eau qui coule de tes cheveux et fais sécher tes vêtements.

Moule

Pour faire des pâtés, Gladys verse du sable dans des <u>moules</u> de formes diverses. Quand ses récipients sont pleins, elle les retourne pour <u>démouler</u> ses pâtés. Ils ont pris la forme des <u>moules</u>.

Mourir

Tout ce qui vit doit <u>mourir</u> un jour. Les gens et les bêtes vieillissent, les plantes se fanent. Quand leur temps de vie est terminé, ils <u>meurent</u>. Mais parfois la <u>mort</u> est accidentelle.

Mousse

J'ai de la <u>mousse</u> plein les cheveux. Ils sont couverts de légères bulles blanches. Maman les a frottés avec un produit <u>moussant</u> après les avoir mouillés. Maintenant, elle les rince. L'eau n'est plus <u>mousseuse</u>, mes cheveux sont débarrassés de la <u>mousse</u>.

Mouvement

Cyril est toujours en <u>mouvement</u> : il se déplace continuellement, ne reste jamais immobile. Il se donne du <u>mouvement</u> : il saute et gesticule. Les <u>mouvements</u> de son corps de bébé sont drôles !

Muguet

Le <u>muguet</u> est une plante. Sa courte tige porte des grappes de petites fleurs blanches très parfumées. Elle est entourée de feuilles de forme allongée.

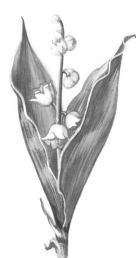

Mur

Un <u>mur</u> sépare la chambre de Roland de la chambre de Patricia. Il s'élève verticalement entre les deux chambres. Les autres <u>murs</u> sont percés de portes et de fenêtres. De sa fenêtre, Roland aperçoit les <u>murailles</u>, les hauts <u>murs</u> épais, qui entourent un château.

Mûrir

Les groseilles sont encore vertes.
Il faudrait du soleil pour les faire <u>mûrir</u>.
Quand elles seront rouges, juteuses et
sucrées, elles seront <u>mûres</u>. Ce sera
le bon moment pour les cueillir.

Museau.

Pauvre Vostock qui ne peut pas ouvrir
la gueule : son <u>museau</u> est prisonnier
d'une <u>muselière</u>. On doit le <u>museler</u>
pour aller en ville. Il n'a jamais mordu
personne, mais cela pourrait arriver .

Musique

Olivier compose de la <u>musique</u>.
Il invente des airs qu'on peut chanter
ou interpréter avec un instrument
de <u>musique</u>. Il combine les sons
d'une manière qui lui plaît.
Olivier est <u>musicien</u>. Je suis allé l'écouter
à une soirée <u>musicale</u>.

Mystère

Triboulet, le lapin de Gladys, a disparu.
Je ne sais quand ni comment !
C'est un <u>mystère</u> ! Malgré mes
recherches, je ne parviens pas
à découvrir si quelqu'un l'a pris ou
s'il s'est enfui. C'est bien <u>mystérieux</u> !

Nager

Je veux savoir <u>nager</u> pour ne plus avoir peur dans l'eau. Je connais les mouvements de <u>natation</u>,
mais je ne flotte pas encore bien.
J'envie mon poisson rouge : il agite ses <u>nageoires</u> et il avance sous l'eau.

Naître

Un bébé vient de <u>naître</u> :
sa vie commence. Sa <u>naissance</u> était attendue depuis longtemps. Il est <u>né</u> à l'instant où il est sorti du ventre de sa mère.
Pour le moment, il ne sait que crier.

Nature

La <u>nature</u> est l'ensemble de ce qui existe sans avoir été fait par l'homme : ce qui pousse <u>naturellement</u>, sans le travail de l'homme ; la Terre, les rivières, les mers. La pluie, le vent, le jour, la nuit sont des phénomènes <u>naturels</u>.

Navire

Un <u>navire</u> est un grand bateau destiné aux transports sur mer. J'ai visité
un chantier <u>naval</u> : on y construit et répare des navires.

Nécessaire

J'ai besoin de ces crayons : ils me sont <u>nécessaires</u> pour dessiner. Il faut <u>nécessairement</u> que je dessine ce soir, car je dois absolument présenter un dessin au maître, demain.

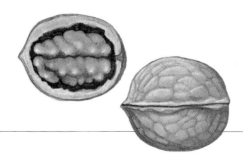

Négliger

Ce n'est pas gentil de négliger ton ours.
Il est sale, abîmé. Tu ne fais pas
attention à lui, c'est de la négligence.
Pauvre ours ! Il est mal soigné, car tu es
négligent.

Neige

Il fait froid, la montagne est couverte de
neige : l'eau des nuages a gelé, puis s'est
transformée en légers flocons blancs qui
retombent sur la terre. Gladys en
attrape, mais la neige fond à la chaleur
de ses mains et se change en eau.

Niche

Roland a construit une niche pour
Vostok. Elle est en bois et a la forme
d'une petite maison. Vostok y dort et s'y
abrite quand il pleut.

Nœud

Je fais un nœud pour réunir ces deux
bouts de ficelle. Je les enlace l'un dans
l'autre, puis je tire sur les extrémités.
Plus je tire, plus je serre les nœuds.
Mes ficelles sont bien nouées, le nœud
ne se défera pas.

Noix

La noix est un fruit de l'automne.
A l'intérieur d'une épaisse enveloppe
verte, on trouve une coque dure
qu'il faut briser. On peut alors manger
les deux moitiés de l'amande.
La noix pousse sur un arbre : le noyer.

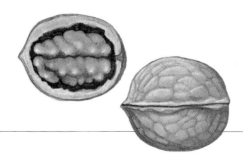

Nom

Quel est ton <u>nom</u> ? - Je m'appelle
Clémentine.
- C'est ton <u>prénom</u>. Je voudrais
connaître ton <u>nom de famille</u>.
- Je me <u>nomme</u> Clémentine Chevet.
Si tu veux, je peux te dire aussi le <u>nom</u>
de mon chien, celui de la rue où j'habite
et celui de ma poupée.

Nomade

Mon amie Sandra et sa famille vont
partir dans leur roulotte.
Ce sont des <u>nomades</u>. Ils ne restent
jamais longtemps au même endroit.
Ils voyagent continuellement.

Nombre

Quel est le <u>nombre</u> d'élèves de
ta classe ? - Le maître nous a justement
comptés ce matin. Il a <u>dénombré</u>
28 élèves. J'ai écrit ce <u>nombre</u>
en chiffres ; je peux l'écrire en lettres :
vingt-huit.

Nonchalant

Nicolas n'est pas très actif. Il est même
<u>nonchalant</u>. Il oublie de finir ce qu'il a
commencé, il s'en désintéresse.
Je me demande si sa <u>nonchalance</u>
ce n'est pas de la paresse !

Nougat

Pour fabriquer du <u>nougat</u>, il faut
des amandes, du sucre caramélisé
et du miel. Quand le sucre est très
caramélisé, on obtient de la <u>nougatine</u>.

Nourrir

Cyril mange tous les aliments qu'on lui présente : il est facile à <u>nourrir</u>.
Les <u>nourritures</u> salées ont pourtant sa préférence. Maman lui prépare des repas <u>nourrissants</u> pour qu'il se développe bien.

Nouveau

C'est <u>nouveau</u> ce que tu portes, dit Séverine à son frère. Je ne t'ai jamais vu avec ce pull-over.
- En effet, c'est une <u>nouveauté</u>, je le porte pour la première fois, explique Emmanuel.

Noyau

La partie dure à l'intérieur de certains fruits est le <u>noyau</u> qu'il ne faut pas avaler. Il renferme une amande.
Maman a <u>dénoyauté</u> des cerises, elle en a retiré le <u>noyau</u>, pour faire un clafoutis.

Nu

Jérémie et Pénélope ont retiré leurs vêtements. Ils sont <u>nus</u>. "Il fait un peu frais pour faire du <u>nudisme</u>, dit leur mère. Puisque vous êtes <u>dénudés</u>, profitez-en pour aller sous la douche !"

Nuage

L'eau de la Terre s'évapore dans l'espace. Les vapeurs de l'eau forment les <u>nuages</u> qu'on voit dans le ciel. Quand ils sont gris et nombreux, quand le ciel est très <u>nuageux</u>, les <u>nuages</u> se transforment en pluie.

Nuit

La journée se termine. Il fait déjà moins clair. Bientôt, il fera noir ; ce sera la <u>nuit</u>. Si le temps est beau, je pourrai voir la Lune et les étoiles. Les oiseaux <u>nocturnes,</u> ceux qui ne volent que la <u>nuit</u>, pourront quitter leurs nids.

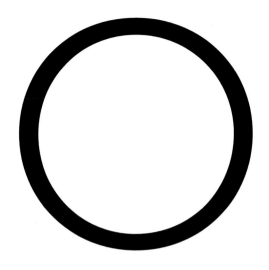

Obscurité

Coralie pleure très fort : elle est dans l'<u>obscurité</u> et elle a peur du noir. « Si tu allumais au lieu de pleurer, dit papa, la pièce ne serait plus <u>obscure</u>, il y ferait clair. »

Obéir

Roland n'aime pas être commandé. Il accepte d'<u>obéir</u>, de faire ce qui lui est demandé, s'il comprend que c'est juste et nécessaire. Il n'est pas toujours <u>obéissant</u>. Il lui arrive de <u>désobéir</u>, de refuser de faire quelque chose qui lui déplaît.

Obligation

Tu ne peux pas refuser d'aller à l'école, c'est une <u>obligation</u> pour tous les enfants. L'école est <u>obligatoire</u> jusqu'à seize ans. On peut t'<u>obliger</u> à aller en classe, on peut t'y forcer si tu n'y vas pas sans raison valable.

Observer

Un oiseau s'est posé sur la fenêtre. Je veux l'<u>observer</u>, le regarder attentivement. Il se sent <u>observé</u> et s'envole dès que j'approche pour l'examiner. J'ai été maladroit ; maman m'en fait l'<u>observation</u> : elle me le fait remarquer.

Occuper

Ce n'est pas chez toi ici, pourquoi es-tu venue <u>occuper</u> ma chambre,
t'y installer ? proteste Emmanuel.
- Je suis <u>occupée</u> à la ranger, réplique Séverine.
- Trouve une autre <u>occupation</u>,
une autre activité, et ailleurs qu'ici,
lui dit-il.

Odeur

Penche-toi vers ces plantes et respire :
Sens-tu l'<u>odeur</u> de la menthe ? C'est
une plante <u>odorante</u> :
son parfum est fort. Cette plante
ne sent rien : elle est <u>inodore</u>.

Œil

Mon <u>œil</u> droit voit mieux que mon œil gauche. Un <u>oculiste</u> a examiné
mes yeux. Il a dit que je dois porter des lunettes pour avoir une bonne vue,
que mes troubles <u>oculaires</u> ne sont pas graves.

Offrir

C'est l'anniversaire de papa.
J'ai l'intention de lui <u>offrir</u> un disque.
C'est un cadeau qui lui plairait ;
mais je ne sais quel disque choisir.
Maman a <u>offert</u> de m'aider :
sa proposition me rend bien service.
J'accepte son <u>offre</u>.

Oie

L'<u>oie</u> est un oiseau au long cou,
au plumage gris ou blanc. Ses pattes
sont palmées. Le mâle de l'<u>oie</u> est
le jars. Leur petit est un <u>oison</u>.

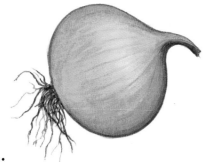

Oignon

L'<u>oignon</u> est une plante.
C'est un légume très utilisé pour
cuisiner. Quand on l'épluche,
on a les yeux qui picotent
tant son odeur est forte.

Oiseau

Les <u>oiseaux</u> sont des animaux
dont le corps est recouvert de plumes.
Ils possèdent deux ailes pour voler,
et deux pattes. Leur bec est dur,
ils n'ont pas de dents. Un petit <u>oiseau</u>
est un <u>oisillon</u>.

Olive

L'<u>olive</u> est le fruit de l'<u>olivier</u>,
qui est un arbre. Elle est petite, ovale,
avec une peau lisse. On peut la manger
encore verte ou quand elle est mûre
et qu'elle est devenue noire. On écrase
les <u>olives</u> pour en extraire l'huile.

Ombre

J'avance, le dos au soleil. Une forme
sombre se déplace avec moi. C'est mon
<u>ombre</u>, l'image déformée de mon corps.
■ J'ai chaud ! Je cherche l'<u>ombre</u>
d'un arbre ; son feuillage, en m'abritant
du soleil, m'offre un lieu <u>ombragé</u>.

Ongle

Le bout de chacun de nos doigts est
recouvert par un <u>ongle</u>. C'est une petite
plaque de corne lisse. Les <u>ongles</u>
poussent, comme les cheveux.
Quand ils sont trop longs, on les coupe.

Orage

Le temps est lourd, le ciel est sombre : il va faire de l'<u>orage</u>. Voilà le premier éclair suivi du premier coup de tonnerre. Déjà la pluie tombe, une pluie <u>orageuse</u>, violente et tiède.

Orange

L'<u>orange</u> est un fruit des pays chauds, à la peau épaisse et grumeleuse. Elle est juteuse, sucrée et légèrement acide. On épluche l'<u>orange</u> avant de la manger ; on la presse pour en boire le jus.

Orchestre

Olivier est le pianiste d'un <u>orchestre</u>. Il joue de la musique avec d'autres musiciens. Ils interprètent ensemble une musique composée pour être jouée par plusieurs instruments différents.

Ordre

Apporte une chaise ! commande Luc.
- Je n'ai pas d'<u>ordre</u> à recevoir de toi, dit Danièle. J'apporterai une chaise si je veux et si tu m'en pries. <u>Ordonne</u>-toi plutôt de mettre de l'<u>ordre</u> dans ta chambre ! Rien n'y est à sa place : quel <u>désordre</u> ! On n'y retrouve rien !

Os

Les <u>os</u> sont les pièces dures, rigides, articulées qui forment le squelette, l'<u>ossature</u> de notre corps.
Ils soutiennent notre corps.
Certains animaux, comme l'escargot, par exemple, n'ont pas d'<u>os</u>.

Osier

L'<u>osier</u> et un arbuste. Il pousse près des terrains marécageux.
Ses rameaux souples peuvent être tressés pour faire des paniers, des fauteuils,des corbeilles, etc.

Oublier

Je veux noter ton adresse dans mon carnet, sinon je risque de l'<u>oublier</u>, de ne pas m'en souvenir.

Oh ! J'ai <u>oublié</u> mon carnet, il est resté chez moi, je n'ai pas pensé à le prendre.

Ours

L'<u>ours</u> est un animal de grande taille. Son pelage est épais, son museau allongé. Il possède des griffes puissantes. C'est un mammifère. Sa femelle est une <u>ourse</u>. Leurs petits sont des <u>oursons</u>.

Outil

Un lavabo bouché ? Une fenêtre qui ne ferme pas ? Papa cherche dans sa caisse à <u>outils</u> l'instrument qui convient pour faire la réparation.

Il est bien <u>outillé</u> ; il possède un <u>outillage</u> complet pour réaliser n'importe quel travail manuel.

Ouvrier

L'<u>ouvrier</u> est celui qui, à l'usine, à l'atelier, sur un chantier, travaille de ses mains ou conduit une machine. En paiement de son travail, l'<u>ouvrier</u> reçoit un salaire.

Ouvrir

Je n'ai pas la clé qui permet d'<u>ouvrir</u> la porte. Comment va-t-on faire pour entrer ?

Par chance, au rez-de-chaussée de la maison, une fenêtre est <u>entrouverte</u> ; elle n'est pas complètement fermée : il suffit de la pousser pour entrer.

Page

« Une autre feuille, s'il te plaît »,
demande Coralie.
- « Tu n'as écrit que sur une page,
sur une seule face de ta feuille. Utilise
l'autre page et je te donnerai une autre
feuille », dit papa.

Pain

Le pain est un aliment. Après avoir mêlé
la farine du blé, l'eau, le sel et la levure,
le boulanger pétrit la pâte obtenue.
Il forme des pains qu'il fait cuire dans un
four. Quand ils sont cuits, la croûte
est dorée. La mie reste blanche.

Paix

« Cessez de vous battre, tentez de vous
mettre d'accord et faites la paix entre
vous », dit papa à ses enfants déchaînés.
Le calme revient après une longue
discussion. La maison est à nouveau
tranquille, paisible.

Pamplemousse

Le pamplemousse est un fruit plus gros
que l'orange et de la même couleur que
le citron. Il est juteux, peu sucré,
légèrement acide. Il pousse sur
un arbre : le pamplemoussier.

Panne

On ne peut pas partir, la voiture est
en panne. Le garagiste l'examine pour
voir ce qui l'empêche de rouler.
Il trouve la cause de la panne et répare.
La voiture est dépannée, nous partons.

Pansement

Gladys est tombée. Son genou saigne.
Il faut lui faire un <u>pansement</u>.
Maman lave les égratignures ; elle y met
un produit cicatrisant et pose
un <u>pansement</u> pour les protéger.

Papillon

Le <u>papillon</u> est un animal. Il a quatre
ailes couvertes de fines écailles colorées,
deux antennes et six pattes.
C'est un insecte. Il existe des <u>papillons</u>
de toutes formes et de toutes tailles.
De leurs œufs minuscules sortent
des chenilles qui vont se transformer
en <u>papillons</u>.

Paquet

Qu'y a-t-il dans ce <u>paquet</u> ?
- Ouvre-le, dit maman, dénoue la ficelle
qui l'entoure, retire le papier qui
l'enveloppe. Tu trouveras, rassemblés,
les objets que j'ai fait <u>empaqueter</u> pour
les porter plus facilement.

Parachute

Le <u>parachute</u> ralentit la chute
du <u>parachutiste</u> qui l'utilise pour sauter
hors d'un avion en vol. Il ouvre
le <u>parachute</u> auquel il est rattaché
par des harnais. Les cordes se tendent,
la coupole de tissu se déploie : la chute
est freinée.

Paraître

J'entends Pénélope, mais je ne la vois pas encore. Elle va bientôt p<u>araître</u> devant moi, se présenter à ma vue. La voilà qui vient pour <u>disparaître</u> aussitôt : elle est déjà loin !

Pareil

Les robes de Fabienne et Patricia sont p<u>areilles</u> : elles ont la même forme et sont de la même couleur.
Les deux sœurs sont habillées <u>pareillement</u> : l'une est habillée comme l'autre.

Paresseux

Jean-Louis est p<u>aresseux</u>. Il refuse de faire un effort et reste des heures entières à ne rien faire. « Secoue ta <u>paresse</u>, lui dit sa sœur, tu te reposes avant même d'être fatigué ! »

Parfum

Je sens un p<u>arfum</u> de lilas, dit maman, une bonne odeur de lilas.
- J'en ai coupé quelques branches ; elles <u>parfument</u> la maison, lui dit papa. Auparavant, je suis passé à la <u>parfumerie</u> acheter de l'eau de Cologne <u>parfumée</u> à la lavande.

Parler

Cyril saura bientôt p<u>arler</u>.
Pour le moment, il articule des sons d'une voix grave, mais ne peut pas encore former des mots. Il semble avoir beaucoup de choses à dire. Je voudrais entendre ses premières p<u>aroles</u>.

Partager

Venez, les enfants, j'ai fait un gâteau.
Nous allons le <u>partager</u>, chacun en aura
un morceau. Je le coupe de façon à faire
huit <u>parts</u> égales, puisque nous sommes
huit. Le <u>partage</u> est juste, personne n'est
oublié, chacun a sa <u>part</u>.

Partir

Je reviendrai te voir mais, maintenant,
je dois <u>partir</u>. Je te quitte pour aller
chez moi. Veux-tu prévenir ta mère
de mon <u>départ</u> ? A bientôt !

Passer

Le facteur vient de <u>passer</u> : il a déposé
le courrier et il est reparti aussitôt.
Je suis sorti après son <u>passage</u>. Il y avait
beaucoup de monde dans la rue,
des <u>passants</u> qui allaient d'une boutique
à l'autre.

Patauger

Après la pluie, Clémentine est allée
<u>patauger</u> dans les flaques boueuses
qui se sont formées dans le jardin.
Elle barbotait comme un canard dans
sa mare !

P

Pâte

Nous aurons des crêpes pour le dessert.
Maman a fait la pâte avec de la farine,
du lait et des œufs.
Avec une pâte plus épaisse, on peut
faire des tartes, d'autres pâtisseries aussi.

Patient

Papa appelle Pénélope qui ne répond
pas. Il attend calmement qu'elle vienne :
il est patient. Mais sa patience a
des limites : il pourrait bien finir par
se fâcher après avoir attendu
patiemment. Je ne suis pas comme lui :
je suis impatiente.

Patin

Emmanuel a des patins à roulettes,
des semelles métalliques munies de
petites roues, qu'il attache à
ses chaussures.
Séverine a des patins à glace.
Ce sont des lames d'acier vissées
aux semelles de chaussures montantes.
Emmanuel roule sur les trottoirs.
Séverine glisse sur la glace d'une
patinoire. Ce sont deux genres
de patinage.

Patron

Le patron est celui qui possède
ou dirige une usine, un atelier,
des bureaux ou un magasin. Il emploie
des gens qui font le travail dont il
a besoin. Il leur verse un salaire
en argent pour payer leur travail.

Payer

Je vais à la caisse payer les marchandises que j'ai choisies. « Vous me devez 250 francs », dit la caissière. Je lui donne la somme qu'elle demande.
Après mon paiement, les marchandises m'appartiennent.

Pays

Je n'ai jamais quitté le territoire de mon pays. Je n'ai jamais franchi ses limites. J'aimerais passer ses frontières pour visiter les pays voisins. Je verrais des paysages nouveaux, des gens qui parlent une autre langue que la mienne.

Peau

La peau enveloppe notre corps et grandit avec lui. Elle est souple, sensible. Si on l'écorche, elle guérit sans garder de trace. Il y a des gens à peau blanche, noire, brune, jaune …

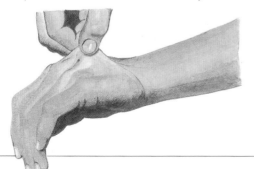

Pêche

La pêche est un fruit de l'été. Sous une pelure duveteuse, sa chair est tendre, sucrée, juteuse. Elle a un gros noyau. La pêche pousse sur un arbre : le pêcher.

Pédaler

Ta bicyclette ne roulera pas si tu ne te décides pas à pédaler ! Appuie les pieds sur les pédales pour les faire tourner. Elles entraîneront les roues et tu avanceras.

P

Peigne

Je démêle mes cheveux et je les coiffe avec un peigne. Mon peigne est en corne avec des dents serrée d'un côté, plus espacées de l'autre. Ma chevelure est en ordre : elle est peignée.

Peindre

Papa se prépare à peindre les murs de la chambre de Cyril. Il a disposé près de lui un seau de peinture jaune. Il y trempe son pinceau ou son rouleau, puis étale la couleur sur le mur. Papa est peintre.

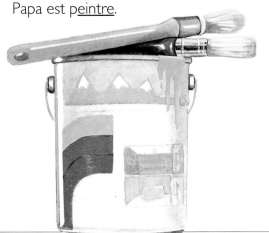

Pelle

Gladys fait des pâtés. Elle tient sa pelle par le manche pour enfoncer la plaque de métal ou de plastique dans le sable. Elle ramasse trois pelletées de sable pour remplir son seau.

Penser

Je ne comprenais rien à mon problème. Eh bien, à force d'y penser, de réfléchir, d'imaginer les solutions possibles, j'ai réussi à le faire. J'avais l'air si pensif que maman m'a demandé : à quoi penses-tu ?

Perroquet

Le p<u>erroqu</u>et est un oiseau au plumage vivement coloré. Il a le bec crochu, de solides griffes recourbées. Certains

<u>perroquets</u> sont capables de répéter certains mots qu'ils ont entendu.

Perdre

Range les clés, dit maman, sinon tu vas les p<u>erdre</u>. Comment feras-tu pour entrer dans la maison si tu n'as pas de clés ? ■ Coralie boude : elle espérait gagner les billes de Clémentine, mais elle a p<u>erdu</u>.

Permettre

Veux-tu me p<u>ermettre</u> d'aller au cinéma ? demande Emmanuel.
- Je veux bien, dit maman. Je te donne volontiers la p<u>ermission</u> de sortir ce soir.

Personne

Nous sommes une famille de cinq p<u>ersonnes</u> : papa, maman et nous, les enfants.
Si Philippe vient nous voir aujourd'hui, il ne trouvera <u>personne</u>, car nous serons tous partis

Peser

Pour p<u>eser</u> mes bagages, je les ai déposés sur la bascule. Ils sont lourds. Ils p<u>èsent</u> plus de 40 kilos. Je ne peux les porter : ils sont trop p<u>esants</u>.

Peuple

Ensemble, nous formons le peuple de France : nous vivons dans le même pays, nous parlons la même langue, nous avons les mêmes coutumes.
■ J'habite une ville très peuplée : beaucoup de gens y vivent.

Peur

Un bruit étrange m'a réveillé. J'ai peur. J'ai beau me dire que ne n'ai rien à craindre, je ne suis pas très rassuré. D'ordinaire, je ne m'inquiète pas si facilement, je ne suis pas peureux ; le danger ne m'effraie pas.

Phare

Pendant mes vacances à la mer, j'ai visité le phare. Tout en haut de la tour construite sur la côte, il y a une grosse lanterne mobile. La nuit, sa lumière guide la marche des bateaux.

■ Des phares sont placés à l'avant des autos pour éclairer la route, quand il fait noir.

Pharmacien

Maman dit au pharmacien : « Je voudrais les médicaments inscrits sur cette ordonnance par le docteur. » Dans une pharmacie, il y a des médicaments pour soigner toutes les maladies.

Phoque

Le phoque est un animal au pelage ras. Il nage en mer grâce à ses courtes pattes arrière palmées. Il se déplace aussi sur terre. Il a des moustaches. C'est un mammifère.

Photographier

Je vais p<u>hotographier</u> ce beau paysage pour en avoir une image. Je la rangerai dans mon album de p<u>hotographies</u> avec les photos des gens que j'aime. Lorsque je me promène, j'emporte toujours mon appareil p<u>hotographique</u>.

Phrase

Lorsque je parle et lorsque j'écris, je fais des p<u>hrases</u>. J'assemble des mots que je choisis pour me faire bien comprendre des personnes à qui je p<u>arle</u> ou écris.

Piano

Le p<u>iano</u> est un instrument de musique à cordes. Pour en jouer, on frappe les touches noires et blanches du clavier.

Pied

Chacune de nos deux jambes se termine par un p<u>ied</u> muni de cinq orteils. Quand nous posons les p<u>ieds</u> à plat, sur le sol, nous pouvons nous tenir debout et marcher. ■ Les trottoirs des rues sont réservés aux p<u>iétons</u> : ceux qui vont à p<u>ied</u>.

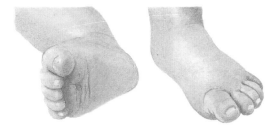

Pincer

Cesse de me <u>pincer</u>, dit maman à Cyril qui lui prend la joue entre ses doigts et serre autant qu'il peut. ■ La soupe n'est pas assez salée, j'ajoute une <u>pincée</u> de sel : juste la quantité de sel que je peux retenir entre le pouce et l'index.

Ping-pong

Séverine et Paul jouent au <u>ping-pong</u>. Ils se font face de part et d'autre d'une longue table verte munie d'un filet. Ils se renvoient une petite balle blanche avec des raquettes dont les deux faces sont recouvertes de caoutchouc.

Piquer

Tiens bien ton aiguille : elle est très pointue, tu pourrais te <u>piquer</u>. ■ Tu vois cette marque sur mon bras ? C'est la trace d'une <u>piqûre</u> de guêpe : son aiguillon a percé ma peau. Et là, je me suis égratignée en cueillant une rose : ses épines sont <u>piquantes</u> !

Place

Le marché se tient sur la <u>place</u> du village. Dans ce large espace bordé de maisons et de boutiques, les commerçants occupent toujours le même <u>emplacement</u> : un endroit qui leur est réservé.

Plaindre

As-tu fini de te p<u>laindre</u> ? Tu n'es jamais content, tu gémis pour n'importe quoi ! Si encore il y avait une raison sérieuse à tes p<u>laintes</u>, mais non !
Alors, malgré ton air p<u>laintif</u>, je n'ai pas pitié de toi.

Plaine

Dans la région où je vis, le terrain est plat à perte de vue. C'est une p<u>laine</u>. Le seul endroit surélevé a été <u>aplani</u> pour y construire une autoroute.

Plante

Les arbres, les fleurs, les légumes, etc., sont des p<u>lantes</u>. Elles tirent leur nourriture de la terre où elles sont enracinées. A la saison des p<u>lantations</u>, nous p<u>lanterons</u> un sapin dans le jardin.

Plastique

Aujourd'hui, beaucoup d'objets sont en p<u>lastique</u>. Ils sont fabriqués avec des matières qu'on peut mouler. Elles sont légères et ne se laissent pas traverser par l'eau.

Plat

Le dessus de la table est p<u>lat</u>, lisse, sans aucun relief. J'y pose une boule de pâte, je l'<u>aplatis</u> pour en faire le fond d'une tarte. Quand elle sera cuite, je présenterai ma tarte sur un p<u>lat</u>.

Pleurer

Gladys a du chagrin. Elle ne peut s'empêcher de pleurer. Des larmes coulent de ses yeux et mouillent son visage. Elle verse des pleurs jusqu'au moment où papa réussit à la consoler.

Plier

Veux-tu plier ta serviette ! Ce n'est pas compliqué : il suffit de la rabattre sur elle-même pour la mettre en double, puis de replier. Les pliures sont visibles aux endroits où le repassage a formé les plis.

Plomb

Le plomb est un métal qui prend facilement la forme qu'on veut lui donner. On le travaille pour en faire par exemple les tuyaux qui distribuent l'eau et le gaz dans les maisons. Les travaux de plomberie sont faits par les ouvriers plombiers.

Plonger

Clémentine apprend à plonger. Arrivée au bord du plongeoir, elle se penche, la tête et les bras en avant, et, soudain, se jette à l'eau. C'est son premier plongeon. C'est amusant ! Vite Clémentine, remonte sur le plongeoir.

Pluie

Le ciel est nuageux, nous aurons encore de la pluie. Tu vois, il pleut : l'eau des nuages tombe en gouttes sur la terre. Quel été pluvieux ! Il ne cesse de pleuvoir. Il ne faut pas oublier d'emporter un parapluie !

Plume

La peau des oiseaux est recouverte de plumes. Elles sont formées d'un tuyau très fin qui a, de chaque côté, des barbes légères. Son plumage protège l'oiseau du froid et de la pluie.

Pneu

Je ne peux pas rouler : les pneus de ma bicyclette sont dégonflés. Les pneus contiennent une « chambre à air » qu'il faut gonfler comme un ballon. Les roues des voitures et de certains trains sont aussi entourées de pneus.

Poésie

Séverine écrit des poésies. Elle assemble des mots qu'elle choisit parce qu'ils vont bien ensemble et qu'ils sont agréables à écouter. Ses poèmes se retiennent bien : ils sont rythmés comme des chansons. Elle est poète, Séverine !

Poil

Certains animaux comme le chien, le chat, le lapin, ont le corps couvert de poils. Ils sont poilus. Des poils poussent aussi sur le visage des hommes. S'ils ne les rasent pas, ils ont une barbe et des moustaches.

Poing

Je ferme les mains en repliant les doigts sur ma paume : je serre le p<u>oing</u> comme un boxeur. Je l'ouvre pour saisir une p<u>oignée</u> de cerises. J'en mange autant que ma main fermée peut en contenir.

Pointe

L'extrémité des aiguilles, épingles et clous est une p<u>ointe</u> qui sert à piquer ou à percer. Mon crayon est p<u>ointu</u>, la mine est taillée en p<u>ointe</u>.

Poire

La p<u>oire</u> est un fruit de l'automne. Sa pelure est lisse. Sa chair est ferme et sucrée. Elle a des pépins. Elle pousse sur un arbre : le p<u>oirier</u>.

Poireau

Le p<u>oireau</u> est une plante. C'est un légume. Le pied, de couleur blanche, se prolonge en feuilles vertes.

Poisson

Les p<u>oissons</u> sont des animaux. Certains vivent dans les mers, d'autres vivent dans les lacs et les rivières. Ils ont des nageoires.

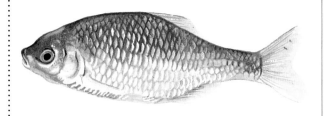

Pomme

La pomme est un fruit d'automne.
Elle est ronde. Sa pelure est lisse.
Sa chair est très ferme, légèrement
acidulée. Elle pousse sur un arbre :
le pommier.

Pompe

Nos voisins prennent l'eau à la pompe.
L'appareil aspire l'eau d'un puits
et la fait couler dans leurs récipients.
■ A la station-service, un pompiste fait
venir l'essence d'une cuve dans
le réservoir d'une voiture par le tuyau
de la pompe à essence.

Pont

On passe rapidement d'une rive
à l'autre depuis qu'un pont a été
construit au-dessus de la rivière.
On construit aussi des ponts pour
franchir les voies de chemin de fer
et les autoroutes.

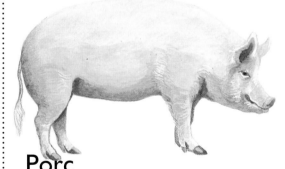

Porc

Le porc est un animal au corps épais,
couvert de soies. Sa queue est
toute petite. Sa tête se termine
par un groin. On appelle le porc mâle,
un verrat. Sa femelle est la truie.
Leur petit est un porcelet.

Port

Un p<u>ort</u> est un ensemble d'installations en bordure de mer. C'est un abri pour les bateaux. Rangés le long des quais, ils embarquent ou débarquent des passagers et des marchandises.

Porte

On appelle p<u>orte</u>, l'ouverture aménagée dans le mur d'une maison pour passer d'une pièce à l'autre, pour entrer et sortir. Le panneau qui permet de fermer cette ouverture est aussi une p<u>orte</u>.

Porter

Il faut me p<u>orter</u>, dit Gladys qui refuse de marcher plus longtemps.
- Il faut d'abord que je trouve un p<u>orteur</u>, dit papa. Quand les bagages seront sur son chariot, je pourrai te prendre dans mes bras pour monter dans le train qui doit nous <u>transporter</u>.

Poste

La p<u>oste</u> assure la distribution des lettres et des petits paquets. Le courrier voyage dans le wagon p<u>ostal</u> des trains, par avion ou par bateau. Les employés de la p<u>oste</u> sont des p<u>ostiers</u>.

Pot

Je cherche un récipient pour y mettre du lait. Voici un pot fait tout exprès. Au retour de la ferme, j'irai au jardin potager. Je cueillerai des légumes pour faire du potage.

Poule

La poule est un oiseau de la basse-cour. Ses ailes sont courtes et arrondies. Sa crête est plus petite que celle du coq dont elle est la femelle. Leurs petits sont des poussins. Ils sortent des œufs pondus et couvés par la poule.

Pourrir

Pourquoi as-tu laissé pourrir ces fruits ? Ils sont abîmés.
Ils se sont mal conservés. Ne les mange pas : ils sont pourris.

Pousser

« Viens me pousser », réclame Gladys. Maman appuie sur la balançoire et cette poussée la met en mouvement.
■ Cyril est dans sa poussette. En avançant, papa appuie sur la voiture qui avance aussi.
■ Cyril a sept dents. Une huitième est en train de pousser : elle perce sa gencive pour sortir.

Poussière

Le vent fait voler la terre desséchée des allées du jardin. Je suis couverte de poussière : une fine poudre grise s'est déposée sur moi. Mes vêtements poussiéreux ont bien besoin d'être brossés.

Pouvoir

J'aimerais <u>pouvoir</u> deviner ce que tu penses, mais j'en suis incapable, je ne le <u>peux</u> pas. Je <u>peux</u> seulement t'interroger : viendras-tu chez moi, dimanche ? - <u>Peut-être</u> : il se <u>peut</u> que je vienne, il se <u>peut</u> que je ne vienne pas.

Pratique

Clémentine a un bureau tout à fait à sa mesure. C'est <u>pratique</u> pour travailler. Elle est bien installée pour faire ses devoirs.

Précieux

J'avais une bonbonnière en cristal. C'était un objet <u>précieux</u>. Elle s'est brisée lorsque Roland l'a fait tomber. Il a dit : « Heureusement, il n'y avait pas de bonbons dedans ! » Pour lui, les bonbons étaient plus <u>précieux</u> que la bonbonnière !

Préférer

J'ai acheté un millefeuille et une tarte. Lequel de ces gâteaux vas-tu <u>préférer</u> ? J'ai une <u>préférence</u> pour le millefeuille : pour moi, c'est le meilleur gâteau. C'est mon gâteau <u>préféré</u>.

Prendre

Je veux prendre le livre qui est posé
sur l'étagère. Je tends la main pour
le saisir et le ramener vers moi. « Tu as
pris un livre qui m'appartient, me dit
Philippe, rends-le moi. » S'il me prend
pour un voleur, il se trompe !

Presser

Il faut presser l'éponge avant de t'en
servir : serre-la entre tes mains
pour faire couler l'eau qu'elle contient.
■ J'ai envie d'une orange pressée, du jus
d'une orange. ■ Je n'ai pas le temps
de le préparer, je dois partir tout de
suite : je suis pressée.

Prêt

Jérémie a fait sa toilette, il s'est habillé,
il a pris son petit déjeuner. Après tout
ça, il est prêt, il peut partir à l'école.

Prochain

Cette année, je suis en classe de C.P.
L'année prochaine, quand cette année
sera passée, j'entrerai au C.E.1 .
Bientôt, je saurai lire. C'est sûr, je saurai
lire très prochainement.

Profond

La rivière est profonde. Je n'en vois pas
le fond tant il est loin de la surface.
Je n'ai pas pied, mais ça m'est égal, car je
sais nager. Je plonge, je me laisse aller
dans les profondeurs de la rivière,
puis je remonte à la surface de l'eau.

Progrès

Je nage beaucoup mieux, j'ai fait
des progrès. Pendant les vacances,
je me suis entraîné tous les jours.
Si je poursuis mon effort, je continuerai
à progresser.

Promener

Chic ! Nous allons au bois puis au zoo :
nous allons nous <u>promener</u>. Maman me
mènera voir les singes. Ce sera une
belle <u>promenade</u>. Il fait beau :
il y aura sans doute beaucoup
de <u>promeneurs</u>.

Promettre

Je peux te <u>promettre</u> de venir
te chercher pour aller au cirque.
Je t'assure que je viendrai.
Je tiens toujours mes <u>promesses</u> :
si je te dis que je viendrai, c'est sûr,
je viendrai.

Propre

Le linge sort de la machine à laver,
il est <u>propre</u>. Il est nettoyé, débarrassé
de ses taches.

■ En fin de journée, je suis <u>malpropre</u>,
je me suis sali. Je ferai ma toilette
<u>proprement</u>, avec soin, pour être
tout à fait net.

Protéger

J'ai peur des grands, dit Jérémie.
- Je suis là pour te <u>protéger</u>, répond
Séverine, pour t'aider et empêcher
les autres de te faire du mal. Tu n'as rien
à craindre, tu es mon <u>protégé</u>.
Tu es sous ma <u>protection</u>.

Provision

Maman rentre du marché. Elle apporte
des <u>provisions</u>. Nous aurons de quoi
boire et manger pendant quelques
jours.
Elle renouvelle l'<u>approvisionnement</u>
de la maison toutes les semaines.

Prudent

Gladys est prudente. Pour ne pas
tomber quand elle grimpe au toboggan,
elle regarde où elle pose le pied.
Elle monte prudemment, en prenant
des précautions. Elle ne fait pas
d'imprudence :
elle pense à ce qu'elle fait.

Prune

La prune est un fruit de l'été.
Elle est ronde ou allongée et de couleur
variable selon les espèces.
Elle a la peau fine, une chair juteuse
et sucrée, un noyau. Elle pousse sur
un arbre : le prunier.

Puits

On creuse un puits pour atteindre l'eau
qui se trouve sous la terre et pouvoir
la recueillir. Les parois du trou sont
maçonnées et surélevées pour que
la terre ne rebouche pas le trou.

Punir

Papa a décidé de punir Jean-Louis
qui a frappé Mathias. Il le prive de
piscine. Jean-Louis trouve la punition
sévère, car il aime nager. Et il n'aime pas
être puni ! Peut-être y pensera-t-il avant,
s'il est encore tenté de battre Mathias.

Pur

Il fait beau, le ciel est pur,
sans la moindre trace de nuage.
■ L'air est pur en montagne, il n'est pas
pollué par les fumées des usines.
■ Je bois du lait pur, sans rien y ajouter,
sans le mélanger à autre chose.

Quart

Nous avons une grande tablette
de chocolat pour nous quatre.
Roland en fait quatre parts égales
et donne un quart de la tablette,
une des quatre parts, à chacun.

Querelle

Pénélope et Gladys se disputent
la possession d'une poupée.
Clémentine se moque de leur querelle :
« Vous êtes sottes de vous quereller
pour cela, leur dit-elle, vous vous
chamaillez pour une poupée alors que
vous en avez d'autres ! »

Question

Gladys veut savoir où est Cyril.
Elle pose la question à maman :
« Où est-il, Cyril ? demande-t-elle.
- Il est dans sa maison », lui répond
maman.

Quai

Un navire entre dans le port et vient se
ranger le long du quai. C'est un mur
dont le dessus est une large plate-forme
qui permet l'embarquement et le
débarquement des voyageurs et des
marchandises.

■ Dans les gares et les stations de
métro, les voies sont bordées de quais.

Queue

La queue est la partie qui prolonge
la colonne vertébrale de nombreux
animaux. C'est aussi la touffe de plumes
du croupion des oiseaux.
■ Tu vois la file des élèves ? La toute
dernière, en queue, c'est Clémentine.

Quille

Séverine est une vraie championne au
jeu de quilles : elle vise les morceaux de
bois qui sont debout et lance la boule
d'une main. Elle renverse plusieurs
quilles d'un seul coup !

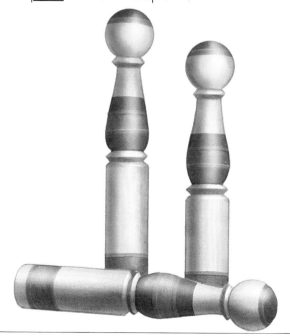

Quitter

Pénélope et Gladys sont restées
ensemble toute la journée.
Maintenant, elles doivent se séparer,
se quitter, pour aller se coucher
chacune dans son lit.

Quotidien

Tous les jours, avant de partir pour
l'école, Séverine nourrit son cochon
d'Inde. C'est sa tâche quotidienne.
■ Le lundi, elle achète un illustré qui
paraît une fois par semaine : c'est un
hebdomadaire. Son papa lit un journal
qui paraît chaque jour :
c'est un quotidien.

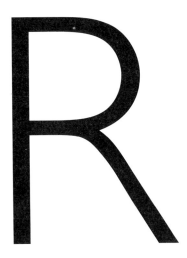

R

Rapide

Je ne cours pas aussi vite qu'Emmanuel.
Il est plus <u>rapide</u> que moi. Quand nous
faisons la course, il arrive au but
le premier. J'espère le dépasser un jour,
courir plus <u>rapidement</u> que lui.

Raie

Pour me coiffer, je sépare mes cheveux
par le milieu en traçant une <u>raie</u> bien
droite avec mon peigne. ■ Maman a
choisi un tissu <u>rayé</u> pour faire une robe.
Il a des lignes jaunes sur un fond bleu.
Moi, je préférais les <u>rayures</u> rouges !
■ La maîtresse a <u>rayé</u> les mots que j'ai
mal écrits. Elle les a barrés d'un trait. Je
dois les réécrire.

Raser

J'aime bien embrasser papa quand
il vient de se <u>raser</u>. Ses joues sont lisses,
les poils de sa barbe ne me piquent
plus. Ils ont été coupés à <u>ras</u> par son
<u>rasoir</u>.

Rat

Le <u>rat</u> est un animal. Il a le museau pointu, une longue queue fine.
Il grignote tout le temps et ronge tout ce qu'il trouve. Il vit souvent dans des endroits sales. C'est un animal nuisible.

Rayon

Danièle a installé des étagères dans ma chambre. J'ai réservé cinq <u>rayons</u> pour ranger mes livres. Le reste du <u>rayonnage</u> est occupé par mes jouets préférés. ■ Maman est vendeuse dans un grand magasin. Elle est au <u>rayon</u> des vêtements, à l'emplacement réservé aux vêtements dans le magasin.

Recevoir

J'ai envoyé une lettre à Roland.
Je ne sais pas quand il va la <u>recevoir</u>.
Je lui demande de m'accueillir chez lui, de me <u>recevoir</u> pendant quelques jours.

Réciter

Je suis prêt à <u>réciter</u> le poème que j'ai appris, à le dire de mémoire sans me tromper. Après, je te ferai le <u>récit</u> de mes aventures, je te raconterai ce qui m'est arrivé ce matin.

Réclamer

Si Nicolas ne me rend pas mon vélo ce soir, je serai obligé de le lui <u>réclamer</u> : j'insisterai pour qu'il me le rapporte. Tant pis si ma <u>réclamation</u> lui déplaît : j'ai besoin de mon vélo.

Récolter

Les fraises sont mûres, c'est le moment de les <u>récolter</u>, de les cueillir.
Si j'en ramasse beaucoup, si la <u>récolte</u> est abondante, je ferai des confitures.

Récompenser

Je voudrais récompenser Emmanuel :
il a gentiment renoncé à une partie
de football pour rester avec Séverine
qui est malade. Il mérite une
récompense : je lui offrirai ce disque
dont il a très envie.

Récréation

Assez travaillé, les enfants !
dit la maîtresse, vous avez besoin d'une
récréation, d'un moment pour vous
détendre, vous reposer et vous amuser
un peu. Après la récréation, nous serons
de nouveau prêts à travailler.

Reculer

Tu devrais reculer ; fais quelques pas
en arrière, sinon on va te bousculer.
■ Méfie-toi de cette voiture, elle fait
une marche arrière : elle part à reculons.

Réfléchir

J'ai encore besoin de réfléchir avant
de prendre ma décision : il faut que je
pense aux avantages et aux
inconvénients de la situation en ce
moment. Quand j'aurai bien réfléchi
à ce problème, je vous dirai le résultat
de ma réflexion.

Reflet

Cyril s'arrête devant le miroir qui lui
renvoie son image. Il tend la main
vers son reflet, surpris de ne pouvoir
le saisir.

Refrain

Connais-tu la vieille chanson de Cadet Rousselle ? Ses nombreux couplets racontent son histoire.
Entre deux couplets, il y a le <u>refrain</u> ; c'est une phrase, toujours la même, que l'on chante à la fin de chaque couplet.

Réfugier (se)

Quand Gladys a peur, elle vient se <u>réfugier</u> près de moi. Ma présence la rassure. Elle sait que je la protégerai du danger. Elle ne craint plus rien : elle a trouvé un <u>refuge</u>.

Refuser

J'ai l'intention de <u>refuser</u> lorsque Nicolas me demandera de lui prêter ma planche à roulettes. La dernière fois que j'ai accepté, il l'a gardée huit jours. Même si mon <u>refus</u> doit le fâcher, je lui dirai : « Non, je regrette, mais je ne te la prête pas. »

Régaler (se)

Je sens que je vais me <u>régaler</u> !
Tu as préparé un plat que j'aime et il est appétissant. Laisse-moi goûter : Oh ! mais c'est un délice, un vrai <u>régal</u> ! Je vais le manger avec plaisir.

Regarder

Veux-tu <u>regarder</u> ma montre et me dire l'heure. Tu ne vois pas ma montre ? Elle est pourtant juste sous tes yeux. Ton <u>regard</u> va trop loin. Baisse les yeux et tu la verras.

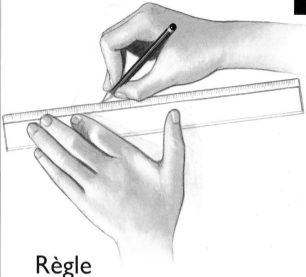

Règle

J'utilise une règle pour tracer des traits bien droits. La mienne est en bois. D'une main, je la maintiens sur mon cahier ; de l'autre, je fais aller mon crayon le long de la règle.

■ Je ne joue pas avec Nicolas. Il fait n'importe quoi ; il ne s'occupe ni de ce qu'on doit faire ni de ce qu'on ne doit pas faire : il ignore les règles du jeu.

Regretter

Je commence à regretter la maîtresse que nous avions l'an dernier : je l'aimais bien ; c'est dommage qu'elle soit partie ! J'ai écrit pour lui dire mon regret de ne plus la voir. Je m'ennuie d'elle ; j'espère qu'elle reviendra.

Remplacer

La maîtresse de notre classe est absente. Une autre maîtresse vient la remplacer, faire la classe à sa place. La remplaçante est plutôt sympathique. Elle ne connaît pas la durée du remplacement qu'elle fait.

Remplir

Mes parents sortent en emportant des filets vides. Ils vont les remplir avec les achats qu'ils feront au marché. Quand ils seront remplis de provisions, ils rentreront à la maison.

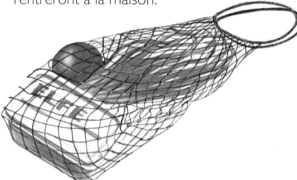

Remuer

Cyril ne tient pas en place, il ne cesse de remuer, de bouger. C'est un enfant remuant : je crois le tenir, mais déjà il s'échappe !

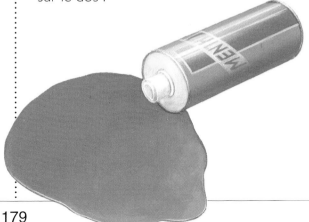

Renard

Le <u>renard</u> est un animal. Son pelage est épais, de couleur variable. Il a des oreilles droites, un museau allongé, une queue touffue. Il se nourrit de la chair des animaux qu'il chasse. Sa femelle est la <u>renarde</u>. Leur petit est le <u>renardeau</u>.

Rencontrer

Je ne pensais pas <u>rencontrer</u> Roland aujourd'hui. Mais, en sortant de chez moi, je me suis trouvé en face de lui. Nous nous sommes <u>rencontrés</u> par hasard. Nous étions si contents de notre <u>rencontre</u> que nous en avons organisé une autre.

Rendre

Je veux bien que tu prennes mon vélo à condition que tu penses à me le <u>rendre</u>. Promets-moi de me le rapporter dès lundi, sinon je ne te le prêterai plus jamais.

Renseigner

je ne sais pas s'il y a un train pour Roubaix ce soir. Je le saurai en allant me <u>renseigner</u> à la gare. Il y a un bureau de <u>renseignements</u> où l'on peut s'informer.

Renverser

Quand j'ai vu comment tu tenais cette bouteille débouchée, j'ai su que tu allais la <u>renverser</u> et répandre le vin par terre. Non seulement tu as <u>renversé</u> le vin, mais tu as bousculé Gladys. Elle est tombée à la <u>renverse</u> et la voilà étendue sur le dos !

Réparer

Notre ordinateur est en panne. Papa l'a porté à <u>réparer,</u> à remettre en bon état. Un <u>réparateur</u> s'est chargé de la <u>réparation</u> ; il a promis que l'appareil réparé serait comme neuf. ■ Ma montre, elle, est <u>irréparable</u> ; je peux la jeter !

Repasser

Que de linge à <u>repasser</u> ! Maman passe le fer chaud sur le linge pour le défroisser et le lisser. Après le <u>repassage</u>, nous retournerons chez Fabienne qui était absente, hier, quand nous sommes passés. Nous <u>repasserons</u> chez elle.

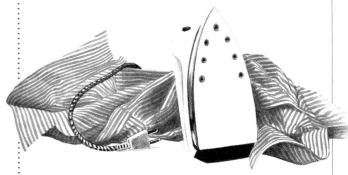

Repas

En semaine, mes parents sont absents pour le <u>repas</u> de midi ; alors je mange à la cantine. Mais le dimanche, nous sommes ensemble aux trois <u>repas</u> de la journée. La nourriture me paraît

Répéter

Combien de fois faut-il te <u>répéter</u> la même chose ? Je t'ai déjà dit plusieurs fois qu'il ne faut pas sortir sous la pluie sans imperméable, mais tu continues. Je trouve ces <u>répétitions</u> lassantes. J'aimerais parler de choses nouvelles.

Répondre

Séverine m'a demandé : « Pourquoi y a-t-il des guerres ? » Je dois lui répondre, lui dire ce que je pense. Elle attend ma réponse à sa question.

Reposer

Je suis vraiment très fatigué : j'ai besoin de me reposer. Dès que j'aurai terminé mon travail, je prendrai un peu de repos. Je m'installerai au calme, confortablement. Ce sera reposant.

Représenter

Emmanuel est notre délégué. Nous l'avons chargé de nous représenter auprès des professeurs. Il est notre représentant et leur parle de notre part.
■ Nous figurons tous sur une photo : nous sommes représentés sur cette photo.

Réprimander

Je me ferai réprimander si je ne range pas mes affaires. Je n'aime pas être grondé !

République

Nous ne voulons plus de Jean-Louis comme président de notre coopérative scolaire. Il décide tout seul, sans nous demander notre avis. Il oublie que nous sommes une petite république et qu'il n'est ni notre chef, ni notre roi.

Réservoir

Plus une goutte d'essence dans le <u>réservoir</u> de la voiture : nous sommes en panne ! C'est le moment de sortir du coffre le bidon plein d'essence que nous gardons en <u>réserve</u>.

Résister

Pourquoi céder toujours aux exigences de Jean-Louis ? Il faut lui <u>résister</u>. Notre <u>résistance</u> lui montrera que nous refusons son autorité.

Respirer

L'oreille contre la poitrine de Cyril, le médecin l'écoute <u>respirer</u>. Il entend le bruit de l'air que Cyril <u>inspire</u> par le nez, reçoit dans ses poumons puis rejette en le soufflant. « Tout va bien, dit-il, sa <u>respiration</u> est normale. »

Ressort

Tu as vu comme je rebondis quand je saute sur mon lit ? C'est grâce aux <u>ressorts</u> qui sont dans le sommier. Ils sont métalliques et élastiques : ils se tendent et se détendent.

Rester

Je veux <u>rester</u> avec toi, m'a dit Gladys, je ne veux pas m'en aller, je suis bien, ici.
■ Elle a presque terminé son petit pain, il n'en <u>reste</u> qu'un morceau, elle n'en a laissé qu'un petit bout. Elle ne veut pas manger le <u>reste</u>.

R

Résultat

J'ai pris des œufs, du lait, du sucre et j'ai tout mélangé. Le <u>résultat</u> de mon travail, c'est un gâteau succulent !

Rêver

Je suis sûr que je vais encore <u>rêver</u> : pendant mon sommeil, je fais et je vois des tas de choses. En réalité, je ne les fais pas : je les imagine seulement au cours de mes <u>rêves</u>.

Rétrécir

Je ne peux pas porter cette robe, elle est trop large pour moi. Il faut la <u>rétrécir</u>, diminuer sa largeur pour qu'elle soit à ma taille.

Réussir

Quand j'ai commencé la construction de ma cabane, je n'étais pas certain de la <u>réussir</u>. J'en suis venu à bout après plusieurs essais. Maintenant, j'ai une cabane formidable. C'est une <u>réussite</u> dont je suis fier.

Rez-de-chaussée

Chez nous, la gardienne loge au <u>rez-de-chaussée</u> de l'immeuble. Elle n'a pas à monter ni à descendre l'escalier pour sortir dans la rue. Le <u>rez-de-chaussée</u> est au niveau du trottoir.

Rhinocéros

Le <u>rhinocéros</u> est un gros animal. Son corps est couvert d'une peau rugueuse très épaisse. Certains <u>rhinocéros</u> ont une corne, d'autres en ont deux. Ils mangent de l'herbe.

Rhume

J'éternue souvent, mon nez coule et mes yeux pleurent : j'ai attrapé un <u>rhume</u>. Maman ne me laisse pas sortir quand je suis <u>enrhumé</u>.

Riche

La famille de Caroline est <u>riche</u> : elle a tant d'argent qu'elle peut acheter tout ce qui lui fait envie. Sa <u>richesse</u> est considérable : on ne peut même pas faire la liste de tout ce qu'elle possède.

Ricochet

Sais-tu faire des <u>ricochets</u> ? Il faut prendre un caillou plat, se placer de côté et le lancer sur la surface de l'eau. Bien lancé, le caillou <u>ricoche</u>, il rebondit sur l'eau avant de s'y enfoncer.

Rideau

Maman a suspendu des <u>rideaux</u> bleus devant la fenêtre de la chambre de Cyril. Ils sont faits dans une étoffe légère, froncée dans un ruban. Ils sont accrochés à une tringle par des agrafes.

Rien

J'étais allé cueillir des noisettes, mais je n'ai <u>rien</u> ramassé : il n'y en avait pas du tout, pas même une seule !

Rincer

Tes mains sont assez savonnées, il faut les <u>rincer</u> maintenant. Laisse couler l'eau fraîche sur tes mains ; elle entraînera la mousse de savon. Après le <u>rinçage</u>, essuie tes mains.

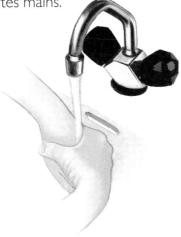

Rire

J'entends <u>rire</u> Gladys. Elle s'est réveillée de bonne humeur, elle est joyeuse. Je m'amuse de la voir la bouche ouverte, le corps secoué par les <u>rires</u>. C'est une enfant <u>rieuse</u> ; elle pleure rarement.

Ritournelle

Depuis de matin, Coralie chante la même <u>ritournelle</u>. C'est toujours le même air et quand elle a terminé, elle recommence !

Rivière

Des péniches voyagent sur la <u>rivière</u> pour rejoindre un grand fleuve dans lequel elle se jette. Nous campons sur la rive, juste au bord de l'eau de la <u>rivière</u>.

Riz

Le <u>riz</u> est une plante. On le cultive dans des champs où l'on peut faire venir beaucoup d'eau. Ses feuilles vertes sont longues et fines. On le cultive pour en manger les graines.

Robinet

Jérémie n'a pas refermé le <u>robinet</u> du lavabo et l'eau continue de couler ! Rien ne l'arrêtera si on ne ferme pas le <u>robinet</u>.

Rocher

De chaque côté de la plage où nous allons en vacances, il y a de grandes masses de pierre. Ce sont des <u>rochers</u>. Emmanuel et Séverine les escaladent souvent.

Rossignol

Le <u>rossignol</u> est un petit oiseau au plumage brun et roux. Son chant est varié et mélodieux. Le <u>rossignol</u> chante le jour et la nuit.

Roue

La <u>roue</u> est toujours de forme ronde. Elle tourne sur elle-même pour faire avancer ou reculer les bicyclettes, les voitures, les trains, les brouettes, etc.

Route

J'habite une ville traversée par la <u>route</u> qui va de Paris au Havre. C'était une voie de communication très fréquentée par les automobilistes et les <u>routiers</u>. Maintenant, ils roulent de préférence sur l'<u>autoroute</u>. C'est plus rapide.

Ruche

La <u>ruche</u> est l'abri en paille ou en bois d'un essaim d'abeilles. Elles s'y installent pour y faire la cire et le miel qu'elles déposent dans des rayons.

Rugir

On joue ? Moi, je serais un lion. Tu serais dans la jungle et tu m'entendrais <u>rugir</u>. Alors, tu aurais peur en entendant mes <u>rugissements</u>. Tu veux bien ?

Rugueux

Quand il fait très froid, la peau de mes mains devient <u>rugueuse</u>, rêche comme une écorce d'arbre. Habituellement, elle est lisse et douce. Je la soigne pour faire disparaître les <u>rugosités</u>.

Ruine

Ces murs qui s'effondrent, ces colonnes brisées, ce sont les ruines d'une église très ancienne qui existait autrefois sur cet emplacement. Elle a été endommagée par un incendie et, peu à peu, elle est tombée en ruine. C'est tout ce qu'il en reste.

Ruisseau

Le courant entraîne le bateau que Jérémie faisait naviguer sur le ruisseau en bas du pré. Si rien ne l'arrête, le bateau voguera jusqu'à ce que le ruisseau rencontre une rivière. Et après, où ira-t-il ?

Ruminer

As-tu fini de ruminer ? demande maman quand je mâche du chewing-gum. - Je ne suis pas un ruminant comme la vache, moi !
La vache avale l'herbe, son estomac la renvoie pour qu'elle la mâche de nouveau avant de l'avaler définitivement.

Rythme

Quand elle entend de la musique, Gladys accorde ses mouvements à son rythme. Elle frappe les mains en cadence ; elle bas la mesure. Elle aime particulièrement les rythmes rapides.

Sable

L'été, nous allons à la mer, sur une plage de <u>sable</u> fin. Les coquillages et les galets, longtemps roulés par les vagues, ont été broyés peu à peu. Ils ont été réduits en minuscules parcelles : c'est le <u>sable</u>.

Sac

Prends ce <u>sac</u> pour y mettre tes affaires. Il s'ouvre largement, il est profond. Tu peux le remplir et le porter facilement. Voilà ! Il reste une petite place pour y glisser un <u>sachet</u> de bonbons.

Saisir

J'attends que le chat passe pour le <u>saisir</u>. Il est difficile à attraper. Si je réussis à le prendre, je ne le laisserai pas échapper. Hélas ! il est <u>insaisissable</u>.

Saison

Dans une année, il y a quatre <u>saisons</u> : le printemps, l'été, l'automne et l'hiver. L'été est la <u>saison</u> des vacances, c'est l'époque la plus chaude de l'année.

Salade

Les <u>salades</u> sont des plantes. On en mange les feuilles assaisonnées d'une vinaigrette. D'autres légumes et d'autres mets se mangent en <u>salade</u>, avec du sel, du poivre, de l'huile, du vinaigre mélangés dans un <u>saladier</u>.

Salaire

Les gens qui travaillent reçoivent un <u>salaire</u> en paiement du travail qu'ils font. Ils sont <u>salariés</u> par leurs employeurs.

Salir

J'ai fait le ménage de ta chambre ; tâche de ne pas salir trop vite ! ■ Prends des vêtements propres et ne laisse pas traîner ton linge <u>sale</u>. Pose-le près de la machine à laver. ■ Si tu dois faire un travail <u>salissant,</u> enfile une salopette pour protéger tes vêtements.

Saluer

Hier, j'étais au théâtre. A la fin de la pièce, les acteurs sont venus <u>saluer</u> le public. Nos applaudissements ont répondu à leurs <u>salutations</u>. Dans la salle, Danièle agitait la main pour que je la remarque ; je lui ai rendu son <u>salut</u>.

Sang

Le <u>sang</u> est le liquide rouge qui circule dans nos veines. Commandé par notre cœur, il va et vient dans toutes les parties de notre corps. ■ Les genoux écorchés de Gladys <u>saignent</u>. Elle essuie le <u>sang</u> avec un mouchoir : il est <u>ensanglanté</u>.

Sangloter

Pénélope a été grondée. Vexée, elle se met à <u>sangloter</u>. Elle respire avec difficulté, bruyamment, et pleure à grosses larmes. Elle est toute secouée par ses <u>sanglots</u>.

Santé

Actuellement,
je me porte bien,
je suis en
bonne<u>santé</u>.
J'ai de l'appétit,
je dors bien,
je suis très actif
et pourtant
je ne me sens pas
fatigué. En somme,
ça va bien !

Sapin

Le <u>sapin</u> est une plante. C'est un arbre aux branches couvertes de fines feuilles rigides en forme d'aiguilles. Le <u>sapin</u> résiste aux gelées. Il ne perd pas ses feuilles. C'est l'arbre de Noël.

Sardine

La <u>sardine</u> est un animal. C'est un petit poisson. Les <u>sardines</u> se déplacent par bancs, par groupes très nombreux. On les pêche avec des filets et on les mange fraîches ou conservées dans de l'huile.

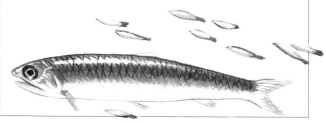

Satisfait

Clémentine est <u>satisfaite</u> : elle avait envie de faire de la danse et elle commence demain. Elle est contente, elle a obtenu <u>satisfaction</u> : ce qu'elle souhaitait se réalise.

Saumon

Le <u>saumon</u> est un poisson à chair rose. A l'époque de la ponte des œufs par les femelles, il abandonne la mer pour remonter les fleuves et les rivières.

Sauter

Gladys est montée sur une borne. « Regarde, dit-elle, je vais sauter ! » Elle plie les genoux et s'élance. Pendant

Un instant, elle est comme suspendue en l'air avant de retomber sur ses pieds joints. Quel joli <u>saut</u> !

Sauver

Manou s'est jetée à l'eau pour <u>sauver</u> un enfant qui se noyait. Elle a nagé jusqu'à lui et l'a ramené sur le rivage. Si elle n'avait pas réussi le <u>sauvetage</u>, si elle était arrivée plus tard, l'enfant serait mort. Heureusement, il a été <u>sauvé</u>.

Savon

Frotte tes mains mouillées avec ce morceau de <u>savon,</u> puis rince-les. Maintenant, elles sont propres : le <u>savon</u> les a nettoyées. ■ Je fais fondre du <u>savon</u> dans de l'eau, je fais mousser l'eau <u>savonneuse</u> et, avec une paille, je fais des bulles de <u>savon</u>. C'est joli !

Scie

La scie est un outil dont on se sert pour couper, trancher, <u>scier</u> les matériaux durs. C'est une lame dentée qui va et vient ou qui tourne vite. Au cours du <u>sciage</u>, il tombe une poussière du matériau <u>scié</u> : c'est la <u>sciure</u>.

Sécher

Maman a lavé mes cheveux. Elle veut les <u>sécher</u>. Avec le <u>séchoir</u>, ils seront vite secs. ■ Nous sommes en période de <u>sécheresse</u>. Il ne pleut pas depuis longtemps. Sans eau, les plantes se <u>dessèchent</u>.

Secouer

Au revoir ! J'agite un mouchoir à la fenêtre du car qui m'emmène. Je vais le <u>secouer</u> aussi longtemps que je verrai Roland. La route est mauvaise et, dans ce car, nous sommes très <u>secoués</u>. A chaque <u>secousse</u>, mon voisin se cogne !

Secours

Je suis embarrassé, je ne comprends pas ce que dit Tolia. Viens à mon <u>secours</u>, tire-moi d'embarras et traduis-moi ce qu'il dit. ■ Un accident vient de se produire ; il faut porter <u>secours</u> aux victimes, les <u>secourir</u> : les faire soigner.

Secret

Non, je ne sais pas où Séverine range ses trésors. Elle ne l'a dit à personne : c'est un <u>secret</u>. Elle a une cachette <u>secrète</u> que personne ne connaît et dont elle ne veut pas parler.

Sel

Le <u>sel</u> est une matière blanche qui donne plus de goût aux aliments. Il fond dans l'eau. ■ L'eau de la mer est <u>salée</u>. On la fait évaporer dans des marais salants pour recueillir le <u>sel</u>.

Semaine

Une <u>semaine</u> est une période de sept jours : lundi, mardi, mercredi, jeudi, vendredi, samedi et dimanche sont les noms des jours de la <u>semaine</u>. Il y a cinquante-deux <u>semaines</u> dans l'année.

Sembler

Coralie attend ses petites sœurs. Le temps doit lui <u>sembler</u> long ! Elle doit avoir l'impression qu'il passe plus lentement depuis que maman est partie. ■ Maman revient avec Agathe et Julie, des jumelles qui ne se <u>ressemblent</u> pas ! Elles sont très différentes : vraiment <u>dissemblables</u>.

Semer

Avant de <u>semer</u> les graines des plantes qu'il veut faire pousser, papa a bêché le jardin. Maintenant, il répand les <u>semences</u> dans la terre où elles vont germer.

Sens

Bien qu'il ne parle pas encore, Cyril se fait comprendre. Ses gestes, les sons qu'il prononce, ont un sens très précis ; ils ont une <u>signification</u>. ■ Je me suis trompé, je devais prendre à Lyon le train en direction de Dijon ; j'ai pris celui qui allait dans le <u>sens</u> opposé, en direction de Marseille.

Sentir

L'infirmière m'avait prévenu : « Tu vas <u>sentir</u> une petite piqûre, mais tu n'auras pas mal. » En effet, j'ai éprouvé une brève <u>sensation</u> désagréable, mais je n'ai pas souffert. ■ Pour me <u>sentir</u> mieux, je respire une eau de Cologne. Elle <u>sent</u> bon. Sa <u>senteur</u> fraîche me fait du bien.

Séparer

Tous mes livres sont ensemble ; je voudrais les <u>séparer</u>, mettre en haut les livres que j'ai lus et en bas, ceux que je n'ai pas encore lus. Séverine est venue m'aider, mais maintenant, elle doit partir. Nous nous <u>séparons</u>. Notre <u>séparation</u> ne sera pas longue : A demain, Séverine !

Serpent

Les <u>serpents</u> sont des animaux des régions chaudes. Leur corps long et souple, dépourvu de pattes, est recouvert de fines écailles. Ils se déplacent en rampant. Ce sont des reptiles. Certains sont très dangereux.

Serrer

Nous tiendrons tous autour de la table à condition de nous <u>serrer</u> ! Tu vois, il n'y a plus un espace libre entre nos chaises. Nous sommes <u>serrés</u> comme des sardines dans une boîte.

Servir

A table, s'il vous plaît ! Je voudrais <u>servir</u>… J'apporte les plats tout de suite.
■ Je suis de <u>service</u> aujourd'hui ; mais demain, ce sera au tour d'Emmanuel de faire le <u>service</u>.

Sévère

Nous avons un maître <u>sévère</u>, cette année. Il est très exigeant et sans indulgence. Il juge <u>sévèrement</u> notre travail et nous punit souvent. Sa <u>sévérité</u> est excessive : j'ai peur de lui !

Sexe

Gladys est une fille. Cyril est un garçon. Leurs corps ne sont pas pareils. Elle est de <u>sexe</u> féminin. Il est de <u>sexe</u> masculin. Chacun a un père et une mère : deux personnes de sexes différents, qui se sont réunies pour leur donner naissance.

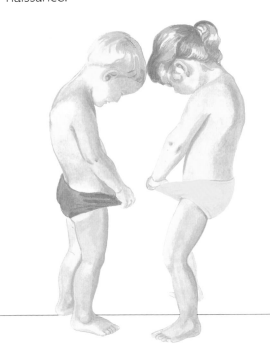

Siège

Il faudrait encore quelques <u>sièges</u> pour que tout le monde puisse s'asseoir : il y a encore des <u>chaises</u>, une banquette et même des tabourets pour compléter les fauteuils et le canapé.

Siffler

C'est difficile de <u>siffler</u> : il faut souffler de l'air entre les dents et les lèvres pour produire des sons. Avec un <u>sifflet</u>, c'est facile, mais le <u>sifflement</u> n'est pas agréable !

Signe

« Encore un gâteau ? » D'un <u>signe</u> de tête, Séverine répond qu'elle n'en veut plus. Elle donne le <u>signal</u> de départ : elle se lève pour indiquer qu'il est temps de partir.

Silence

Quel <u>silence</u> dans cette maison ! On n'entend aucun bruit. Emmanuel et sa sœur travaillent en <u>silence</u>, sans rien dire. Ils sont <u>silencieux</u>. ■ J'entre <u>silencieusement</u> : sans bruit.

Simple

Ce jeu n'est pas compliqué. Il est très <u>simple</u>. Écoute les explications et tu comprendras la règle du jeu.

Singe

Les <u>singes</u> sont des animaux. très agiles. Ils peuvent se tenir debout, marcher à quatre pattes et grimper aux arbres. Ils imitent les hommes.

Ski

En classe de neige, j'ai chaussé des <u>skis</u> pour la première fois. Les miens sont en métal. Ce sont de longs patins relevés à l'avant, fixés aux chaussures de <u>ski.</u> J'aime <u>skier</u>, glisser sur la neige.

Soif

J'ai <u>soif</u> : j'ai la sensation d'être desséché. J'ai besoin de boire.

Soigner

Tu es malade, il faut te <u>soigner</u>. Je prendrai soin de toi jusqu'à ta guérison. Je veillerai sur toi et je te donnerai tes médicaments. ■ Tu laisses tes jouets sous la pluie : tu n'es pas <u>soigneux</u>.

Soir

Le jour décline. Le soleil va bientôt disparaître. C'est le <u>soir</u>. Je vais dîner chez Roland. <u>Bonsoir</u> tout le monde ! Jusqu'au moment de dormir, nous passerons une bonne <u>soirée</u>.

Soleil

Le Soleil est un astre. Il nous éclaire et nous chauffe durant le jour. Par beau temps, on le voit briller dans le ciel. Pourtant, il est très éloigné de la Terre.

Solidaire

Séverine est privée de récréation pour avoir chahuté. La punition est vraiment trop sévère, habituellement Séverine est très tranquille. Nous avons dit au maître que nous étions solidaires de notre camarade. S'il la punit, nous n'irons pas en récréation par solidarité avec Séverine.

Solide

Cyril a cassé sa voiture. Elle n'était pas solide : elle n'a pas résisté aux chocs qu'elle a reçus. Il lui faut des jouets d'une très grande solidité pour qu'il ne les détruise pas en jouant.

Solide

Cyril a cassé sa voiture. Elle n'était pas solide : elle n'a pas résisté aux chocs qu'elle a reçus. Il lui faut des jouets d'une très grande solidité pour qu'il ne les détruise pas en jouant.

Sombre

Il fait sombre dans cette pièce. On ne voit pas suffisamment clair, il faut allumer la lumière. Des nuages ont assombri le ciel. Il est devenu gris.

Sommeil

Quand Gladys prend son « chiffon » et suce son pouce, c'est qu'elle a sommeil. Il faut la mettre au lit, car elle a envie de dormir. Elle est déjà ensommeillée.

Sonner

J'entends <u>sonner</u>. Je ne sais jamais si c'est la porte ou le téléphone. Les deux <u>sonneries</u> se ressemblent. Je vais faire changer la <u>sonnette</u> de la porte. Je la choisirai d'un <u>son</u> différent.

Sorte

Mathias collectionne toutes <u>sortes</u> de billes : en terre, en pierre, en verre ; des petites et des grosses. Il cherche des billes d'agate pour les <u>assortir</u> à celles qu'il a déjà. Il voudrait en avoir plusieurs de cette <u>sorte</u>. Il aime ce genre de billes.

Sortir

je dois <u>sortir</u> pour conduire Clémentine a l'école. Je quitte la maison tout de suite. Je ne serai pas absente longtemps. Ce sera ma seule <u>sortie</u> aujourd'hui. Après, je rentre à la maison et j'y reste.

Souffler

« Tu peux <u>souffler</u> sur ton potage pour le refroidir », dit papa. Gladys approche la cuillère de sa bouche ; elle aspire de l'air et le fait sortir par ses lèvres arrondies. Son <u>souffle</u> est léger : il fait à peine bouger le potage.

Souhaiter

Bonjour, Pépi et Mamy ! Je viens vous souhaiter une formidable année.
Je voudrais que vous soyez toujours contents et j'espère que mes souhaits se réaliseront.

Soupe

Ce soir, nous mangerons une soupe de légumes coupés en petits morceaux. Je les verserai avec leur bouillon sur les fines tranches de pain préparées dans la soupière.

Soupirer

J'entends Caroline soupirer. Elle laisse échapper, un peu bruyamment, l'air qu'elle respire. Elle doit s'ennuyer pour pousser de tels soupirs !

Souple

Je suis plus souple depuis que je fais de la gymnastique : je plie facilement les jambes, les bras, tout mon corps. J'ai plus de souplesse : mon front touche mes genoux sans peine depuis que je fais des exercices d'assouplissement.

Sourd

Notre voisin est sourd. Il entendait bien autrefois ; maintenant, il n'entend plus aucun son.
■ Ginette enseigne aux enfants sourds-muets. Ils sont nés sourds.
Ils n'ont jamais entendu, alors ils n'ont pas pu parler. Elle, elle leur apprend.

Sourire

Maman m'accueille un <u>sourire</u> aux lèvres. Elle ne dit rien mais, à ses yeux rieurs, à sa bouche <u>souriante</u> qui laisse voir ses dents, je sais qu'elle est contente de mon retour.

Souris

La <u>souris</u> est un petit animal au pelage gris ou blanc. Comme le rat auquel elle ressemble, elle a le museau allongé et la queue fine.
C'est un rongeur capable de faire, beaucoup de dégâts.

Souvenir

Te rappelles-tu Jean-Louis qui était chez nous l'an dernier ? m'a demandé Séverine. - Je n'ai pas de mal à me <u>souvenir</u> de lui : quel sale caractère il avait ! Je ne l'oublierai pas : je garde de lui un bien mauvais <u>souvenir</u>.

Sport

Paul pratique de nombreux <u>sports</u> : le ski, le tennis, le cyclisme, la course à pied, la gymnastique et la natation. C'est un <u>sportif</u> : il s'entraîne régulièrement pour être capable de bien jouer, d'avoir une meilleure activité <u>sportive</u>.

Station

Nous descendons à la prochaine station, au prochain arrêt du métro. Nous prenons la sortie vers la station des autobus, l'endroit où les bus viennent toujours se ranger. Les autres véhicules n'ont pas le droit de stationner là. Le stationnement leur est interdit sur cet emplacement.

Statue

Dans l'atelier d'un sculpteur, j'ai vu les statues qu'il a façonnées en taillant le bois ou la pierre. Elles représentent des personnages et des animaux.
Une statuette est une petite statue.

Sucre

Le sucre est un produit généralement blanc, utilisé pour adoucir le goût de certains aliments. On fait le sucre, en poudre ou en morceaux, avec le jus de la canne à sucre ou celui de la betterave sucrière.

Sueur

Il fait si chaud et j'ai tant couru que la sueur coule sur mon visage et le long de mon corps. Mes vêtements sont mouillés par ce liquide à l'odeur forte qui vient à la surface de ma peau. Je transpire abondamment. Quelle suée !

Suffire

Ce plat devrait suffire pour le dîner. Je pensais qu'il y en aurait bien assez pour tout le monde. J'ai suffisamment mangé, j'en ai eu assez ; mais c'était insuffisant pour Paul : il en aurait volontiers mangé davantage !

Suivre

Tu n'auras aucune peine à me <u>suivre</u> : je marcherai devant toi, je te guiderai. Nous ferons deux étapes : la première pour nous reposer ; l'étape <u>suivante</u>, nous déjeunerons. La <u>suite</u> de l'ascension sera plus facile que son début.

Syllabe

Quand je prononce « maman », ma voix produit successivement deux sons différents : « ma » et « man ». Ce sont les deux <u>syllabes</u> du mot « maman ». Certains mots ont une seule <u>syllabe</u>. D'autres en ont plusieurs.

Sympathie

Dès leur première rencontre, Gladys et Pénélope ont été attirées l'une vers l'autre. Elles ont ressenti de la <u>sympathie</u> l'une pour l'autre. Elles ont du goût pour les mêmes jeux et se retrouvent chaque fois avec plaisir. Elles <u>sympathisent</u>.

T

Tabac

Le <u>tabac</u> est une plante à larges feuilles. Les feuilles séchées sont préparées pour être fumées sous forme de cigares, de cigarettes ou dans une pipe.

Table

Le plateau en bois de notre <u>table</u> est supporté par des pieds en fer forgé. Hier, nous étions douze à <u>table</u>. C'était une joyeuse <u>tablée</u>. Nous sommes restés <u>attablés</u> fort longtemps.

Tacher

Ne t'appuie pas contre ce mur, tu vas te <u>tacher</u>. Ta robe aura, de place en place, des traces de peinture. Ce sont des <u>taches</u> difficiles à faire partir. Pour y parvenir, pour <u>détacher</u> ta robe, il te faudra un bon produit <u>détachant</u>.

Tailler

Prête-moi des ciseaux pour <u>tailler</u> un pantalon dans cette toile. Quand j'en aurai découpé les différentes parties, je n'aurai plus qu'à les coudre ensemble. Je pensais confier ce travail à un <u>tailleur</u>, mais il n'était pas disponible.

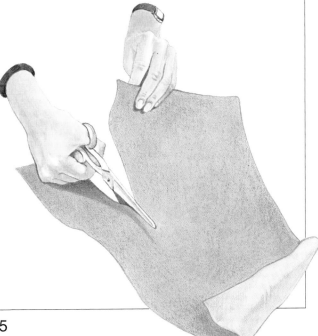

Tambour

Le <u>tambour</u> est un instrument de musique. On frappe avec des baguettes sur les peaux tendues de chaque côté d'un cylindre. Le <u>tambour</u> résonne.

Taper

J'entends <u>taper</u> contre le mur. C'est Coralie qui fait ce bruit avec un ballon qu'elle lance et qui vient frapper le mur.
■ Jérémie joue du tambour, Clémentine chante, Gladys pleure parce que Pénélope a pris sa poupée : quel <u>tapage</u> !

Tapis

Je fais un petit <u>tapis</u>. Avec un crochet, je noue des bouts de laine autour des fils d'un gros canevas. Le <u>tapis</u> qui recouvre le sol de la salle est fait autrement, sur des machines. Un <u>tapissier</u> l'a fixé.

Taquiner

Cesse de <u>taquiner</u> ta sœur, tu vois bien que tes <u>taquineries</u> l'agacent. On dirait que tu prends plaisir à l'ennuyer à la contrarier. Tu n'es pas vraiment méchant, mais tu es <u>taquin</u>.

Tard

Je dois partir à huit heures pour aller à l'école. Quand je pars plus <u>tard</u>, après huit heures, j'arrive en <u>retard</u> : l'heure fixée pour entrer à l'école est dépassée. Hier, je me suis <u>attardé</u> devant mon petit déjeuner, j'ai pris du <u>retard</u>.

Tarte

La pâte est prête. Je vais l'étaler dans un moule à <u>tarte</u> et la recouvrir de fruits. Qui préfère une <u>tartelette</u> à une part de <u>tarte</u> ? Pour ceux qui ont encore faim, il y a des <u>tartines</u> beurrées.

Tas

Il faut encore du sable pour grossir le <u>tas</u> déjà réuni. C'est pour construire un château. ■ J'ai <u>entassé</u> toutes sortes d'objets dans mes poches : elles sont pleines. Je traîne un <u>tas</u> de choses inutiles.

Tasse

Gladys prend sa <u>tasse</u> de porcelaine. Elle la tient par l'anse pour me l'apporter. Je lui demande : « Veux-tu boire du lait ? - Non, dit-elle, je préfère une <u>tasse</u> de chocolat. »

Taupe

La <u>taupe</u> est un petit animal au pelage sombre très doux. Elle vit dans les galeries qu'elle creuse sous terre. Les petits tas de terre qu'elle rejette à la surface du sol signalent son passage. Les doigts de ses pattes avant, réunis par une peau, lui servent de pelle. C'est un mammifère.

Taureau

Le <u>taureau</u> est un animal. C'est le mâle de la vache. Leur petit est le veau.

Téléphone

Je t'ai entendue parler, tu n'es donc pas seule ? dit Henri en arrivant. - Je suis seule, en effet, mais j'ai le <u>téléphone</u>, tu sais ! Alors je peux parler avec des gens qui ne sont pas près de chez moi. C'est Roland qui <u>téléphonait</u>.

Télévision

La <u>télévision</u> transmet à distance les images et les sons que des appareils enregistrent. Quand une émission de <u>télévision</u> est diffusée, je peux la regarder chez moi, sur l'écran de mon <u>téléviseur</u>.

Température.

Quel temps fait-il ? Il fait froid. La <u>température</u> a baissé. Il fait moins chaud qu'hier. ■ J'ai pris la <u>température</u> de Cyril. Elle est de 39°. C'est beaucoup trop : il est malade.

Tempête

Le ciel est sombre, un vent violent fait voler le sable de la plage. La mer est agitée par d'énormes vagues. C'est une tempête. En raison du danger, les bateaux sont restés au port.

Temps

Je ne sors pas, il fait trop mauvais temps. Il pleut depuis ce matin. Je sortirai plus tard, dans quelque temps. ■ J'ai beaucoup à faire : je n'ai pas le temps de sortir maintenant. J'ai un emploi du temps très chargé : il n'y a pas un moment durant lequel je ne fais rien.

Tendre

Attendez-moi ! Je ne peux pas rouler sans tendre la chaîne de mon vélo. Qui m'aide à tirer pour la mettre en place ? ■ Veux-tu me tendre la sacoche qui est près de toi ? Je tends la main vers toi pour la recevoir.

Tendre

Gladys préfère le nougat tendre au nougat dur, car il résiste moins sous ses dents. ■ Elle n'est pas seulement gourmande, elle est aussi affectueuse et tendre. Elle est sensible aux marques de tendresse qui lui prouvent qu'on l'aime. Elle vient m'embrasser tendrement.

Tenir

Ne prends pas tous les verres, tu ne pourras pas les tenir dans tes mains. L'un d'eux tombera sans que tu puisses le retenir. S'il est cassé, je serai fâchée, car j'y tiens beaucoup ; c'est un souvenir. Tiens, prends ce plateau et mets dessus autant de verres qu'il peut en contenir.

Tente

Nous plantons la <u>tente</u> au bord de l'eau. Une fois la toile bien tendue et maintenue par les mâts et les piquets, nous avons un abri confortable.

Terminer

Je dois <u>terminer</u> ce travail avant de sortir. J'aurai bientôt fini. ■ Je prendrai l'autobus en tête de ligne pour descendre au <u>terminus,</u> tout à fait à la fin du trajet de l'autobus. ■ J'emporte mon livre pour achever de le lire : je voudrais savoir comment l'histoire se <u>termine</u>.

Terre

La <u>Terre</u> est une planète. Elle tourne sur elle-même en même temps qu'elle tourne autour du Soleil. C'est la planète où vivent les hommes. La <u>terre</u>, c'est aussi la matière qui recouvre le sol de la <u>Terre</u> et dans laquelle poussent les plantes. Certains animaux creusent des galeries souterraines et des <u>terriers</u>.

Terrible

Il s'est produit un accident <u>terrible</u> dans un immeuble voisin du nôtre. Il a causé de grands malheurs. Pris de peur, <u>terrifiés</u>, les gens fuyaient dans tous les sens.

T

Tête

La <u>tête</u> est la partie supérieure du corps humain. Elle est ronde. Elle contient le cerveau et les principaux organes des sens les yeux, le nez, la bouche, les oreilles. ■ Je me demande pourquoi Fabienne fait la <u>tête</u>, pourquoi elle est si souvent de mauvaise humeur ?

Téter

Élodie vient de naître. Pendant quelques semaines, elle va <u>téter</u> sa mère pour boire le lait contenu dans ses seins. Plus tard, elle prendra son lait dans un biberon muni d'une <u>tétine</u>.
Les animaux mammifères <u>tètent</u> les mamelles de leur mère.

Thé

Le <u>thé</u> est un arbrisseau. Ses feuilles sont utilisées pour faire une boisson. On met des feuilles de <u>thé</u> séchées dans une <u>théière</u> ; puis on les recouvre d'eau bouillante. On laisse infuser avant de boire le <u>thé</u>.

Théâtre

Hier, j'étais au théâtre pour voir jouer une pièce Dans <u>la salle</u>, les spectateurs étaient nombreux. Sur la scène, dans un décor magnifique, les acteurs, vêtus de costumes chatoyants, ont interprété leur rôle avec beaucoup de talent. C'était du très beau <u>théâtre</u>.

Thermomètre

Avant de sortir, je regarde le <u>thermomètre</u> pour connaître la température extérieure. C'est le niveau atteint par le liquide contenu dans le tube qui l'indique. ■ J'utilise un <u>thermomètre</u> médical pour connaître la température de mon corps..

Tiède

Je me baigne dans une eau <u>tiède</u>. Si elle est chaude, je la laisse <u>tiédir</u>. Si elle est froide, je la chauffe un peu pour qu'elle devienne <u>tiède</u>.

Tigre

Le tigre est un gros animal au pelage jaune rayé de bandes noires. Il se nourrit de la chair des animaux qu'il chasse. Sa femelle est la <u>tigresse</u>.

Timbre

Il faut obligatoirement coller un <u>timbre</u> sur l'enveloppe avant de poster une lettre. Cette petite vignette prouve qu'on a payé le droit d'expédier la lettre par la poste.

Tirer

« Il faut <u>tirer</u> pour me faire avancer », clame Gladys assise sur son chien à roulettes. Je l'<u>attire</u> vers moi, je la fais venir jusqu'à moi. Elle en profite pour atteindre les tiroirs de la commode et les <u>tirer</u>.

Tisser

J'ai un petit métier à <u>tisser</u>. Quand j'ai tendus les fils de la chaîne, je passe le fil de la trame avec une navette. Je fais du <u>tissu</u>. ■ Dans les usines de <u>tissage</u>, les <u>tisserands</u> ont des métiers à tisser automatiques.

Toit.

Les maisons sont couvertes par un <u>toit</u> fait de tuiles ou d'ardoises assemblées. Il met les habitants de la maison à l'abri des intempéries.

Tomate

La <u>tomate</u> est un fruit rouge, charnu et juteux. Elle se consomme crue ou cuite. Les plants de <u>tomates</u> sont cultivés dans les jardins.

Tomber

Luc m'a fait <u>tomber</u>. Il m'a bousculé, j'ai perdu l'équilibre et je me suis retrouvé par terre. Je me suis fait mal en <u>tombant</u>. J'étais fâché, mais ma colère est vite <u>tombée</u> : elle s'est apaisée.

Tonnerre

Un éclair a projeté sa vive lumière dans le ciel. Déjà on entend gronder le <u>tonnerre</u>. Soudain, il éclate bruyamment, c'est l'orage.

Tordre

Si tu m'aides à <u>tordre</u> ces brins de laine, je te ferai une cordelière. Tu tournes dans un sens, je tourne dans le sens contraire. Tu auras une jolie <u>torsade</u> si la torsion est régulière. ■ Sais-tu que Séverine s'est fait une <u>entorse</u> ? Elle s'est <u>tordu</u> la cheville. Son pied est enflé.

Torrent

Je me suis baigné dans l'eau fraîche du <u>torrent</u>. Il jaillit du sommet de la montagne et dévale si rapidement la pente qu'il laisse derrière lui une blanche écume. ■ Il tombe une pluie <u>torrentielle</u>, aussi forte que le cours d'un <u>torrent</u>.

Tortue.

La <u>tortue</u> est un animal. Son corps est enfermé dans une carapace bombée très dure. Elle rentre ses quatre courtes pattes et sa tête à l'intérieur de sa carapace pour se reposer ou pour échapper au danger. Elle se déplace lentement.

Toucher

Je voudrais attraper le lapin, le <u>toucher</u>, promener ma main sur sa fourrure si douce. ■ J'ai lancé ma balle, elle a <u>touché</u> le mur, elle l'a heurté avant de retomber sur le sol.

Tourner

Mathias fait <u>tourner</u> sa toupie qui pivote longtemps sur sa pointe avant de tomber et de s'immobiliser. Tandis qu'il joue, maman va jusqu'au lieu où le chemin fait une courbe, jusqu'au <u>tournant</u>. Puis, elle revient sur ses pas, elle <u>retourne</u> à la maison.

Tousser

Cyril est malade. Je n'aime pas du tout l'entendre <u>tousser</u> ainsi. Il reprend avec peine sa respiration régulière après chaque accès de <u>toux</u>.

Tracteur

Le fermier accroche la remorque au <u>tracteur</u>. Il se met au volant. Les roues arrière du <u>tracteur</u> sont énormes, les roues avant sont plus petites. Le <u>tracteur</u> roule et tire la lourde remorque.

Train

Quand j'arrive à la gare, le <u>train</u> est déjà formé : la locomotive et les wagons qu'elle doit entraîner sont rangés le long du quai.

Tranche

« Je voudrais deux <u>tranches</u> de ce jambon avec os, s'il vous plaît. » Le charcutier saisit un couteau à la longue lame <u>tranchante</u> et taille aisément les <u>tranches</u> demandées. Pour les jambons sans os et d'autres charcuteries, il se sert d'une machine à <u>trancher</u>.

Tranquille

J'habite un coin <u>tranquille</u>, paisible et calme. Sa <u>tranquillité</u> contraste avec l'agitation bruyante du lieu où je travaille. Je craignais de m'y ennuyer Je suis <u>tranquillisée</u>, je suis rassurée, car je m'y suis fait des amis.

Travailler

Finies les vacances ! Demain, mes parents vont <u>travailler</u> à l'usine et moi je retourne à l'école. ■ Avec ses camarades de <u>travail</u>, papa fabrique des meubles. Ailleurs, d'autres <u>travailleurs</u> produisent d'autres objets dont nous avons besoin.

Traverser

Je dois <u>traverser</u> la place pour rejoindre Séverine qui m'attend de l'autre côté. La <u>traversée</u> est périlleuse en raison de la circulation. J'attends que les feux soient rouges pour passer. ■ Toutes les deux, nous jouons de la flûte <u>traversière</u>, une flûte qu'il faut tenir en travers, horizontalement.

Trembler

Ce qu'a dit Claude m'a fait <u>trembler</u> de colère. Malgré moi, mon corps est agité de brusques saccades. <u>Tremblant</u>, je n'ai pu lui répondre ; j'ai dû attendre que ce <u>tremblement</u> s'apaise.

Tremper

Je coupe des mouillettes pour les <u>tremper</u> dans mon œuf à la coque. Je les plonge dedans et les sors quand elles sont imbibées d'œuf.

■ Ma poupée est tombée dans l'eau : elle est <u>trempée</u>.

Tricoter

Je commence à <u>tricoter</u> un gilet. J'ai monté des mailles sur une aiguille à <u>tricoter.</u> Avec une autre aiguille, je passe la laine dans les boucles pour former un tissu. Je fais du <u>tricot</u>.

Trier

Toutes mes perles de bois sont mélangées ! Je vais les <u>trier</u>, les séparer pour les regrouper par couleurs. Quand j'aurai fait le <u>tri</u> des perles rouges, je les mettrai dans une boîte.

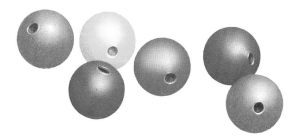

Triste

Je suis <u>triste</u> : le départ de Roland m'a chagrinée. La journée passe <u>tristement</u>, car rien ne vient m'égayer. J'irai voir Gladys, son joyeux entrain fera sûrement fuir ma <u>tristesse</u>.

Tromper

je vérifie mon addition pour ne pas me <u>tromper</u>, faire une erreur involontaire.
■ Claude m'a <u>trompé</u> une fois : il m'a fait croire que mon opération était juste, alors qu'il savait qu'elle était fausse. Je ne lui pardonne pas sa <u>tromperie</u>.

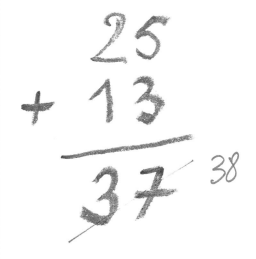

Trotter

Gladys ne cessait de <u>trotter</u> dans la maison, d'aller et venir de son petit pas rapide. ■ Maintenant elle joue dehors avec sa <u>trottinette</u>. Elle roule sur le <u>trottoir</u> en évitant les piétons.

Trou

Des clés sont tombées de mon sac. Il doit être percé et les clés sont passées par le <u>trou</u>. Le bruit vient de faire fuir une souris. Elle a pénétré dans un <u>trou</u>, une minuscule ouverture qu'elle a grignotée dans le plancher.

Troupeau

« Attends, laissons passer le <u>troupeau</u> de vaches. » Le paysan ramène vers le <u>troupeau</u> les vaches qui s'en éloignent. Des gens qui se sont attroupés pour les regarder bavardent ensemble.

Trouver

Où est mon livre ? Je le cherche partout sans le <u>trouver.</u> Mon livre est <u>introuvable</u>, mais j'ai fait une <u>trouvaille</u> intéressante : j'ai découvert au grenier une malle mystérieuse…

Tulipe

La <u>tulipe</u> est une plante cultivée pour sa fleur. On plante des oignons de <u>tulipes</u> et les <u>tulipes</u>, de couleurs variées, poussent au bout de hautes tiges. Elles ont des feuilles très allongées.

Unir

Séparément, nous ne pouvons rien contre les grands qui nous embêtent, dit Clémentine à Coralie. Il faut nous <u>unir</u>, résister ensemble. Jérémie vient tout à l'heure. Quand nous serons <u>réunis</u>, nous en discuterons avec lui.

Urgent

Papa demande que tu viennes tout de suite, c'est <u>urgent</u>, il ne faut pas le faire attendre. Viens vite, il y a <u>urgence</u>, ne perds pas de temps.

User

En portant ton pantalon neuf tout le temps, tu vas l'<u>user</u> rapidement : il sera bientôt inutilisable. Il sera hors d'<u>usage</u> : il sera tellement <u>usé</u> que tu ne pourras plus t'en servir.

Usine

Tous ces bâtiments abritent les ateliers et les machines d'une <u>usine</u> d'automobiles. Des milliers d'ouvriers y travaillent. Il y a d'autres <u>usines</u> dans la région.

Utile

Ne jette pas cette boîte, elle peut m'être <u>utile</u>, je peux en avoir besoin. Je l'utiliserais volontiers pour y ranger des photos. Elle est tout à fait <u>utilisable</u>. Je la conserve <u>utilement</u> : elle me servira.

Vacances

A la fin du mois, mes parents seront en <u>vacances</u>. Ils cesseront de travailler. Ils auront du temps libre pour se reposer et se distraire. Les <u>vacances</u> de mes parents durent moins longtemps que les <u>vacances</u> scolaires.

Vache

La <u>vache</u> est un gros animal à poils ras. Elle a des cornes et de gros yeux ronds. Elle se nourrit d'herbe qu'elle rumine. On l'élève pour recueillir son lait. C'est un mammifère. Le petit de la <u>vache</u> et du taureau est le <u>veau.</u>

Vaisselle

Les jours de fête, maman sort sa plus jolie <u>vaisselle</u>, toutes les pièces de son service de table. Que d'assiettes, de plats, de tasses et de soucoupes !
■ Papa l'aide à faire la <u>vaisselle</u> : il lave les assiettes et elle les essuie.

Valise

J'emporte peu de bagages. Je n'ai qu'une <u>valise</u> dans laquelle j'ai posé à plat quelques vêtements soigneusement pliés. Je n'ai plus qu'à rabattre le couvercle pour la fermer. Je la porte sans peine en la prenant par la poignée.

Valoir

J'ai très envie d'une planche à roulettes. Je me demande combien ça peut <u>valoir</u>… Je n'ose pas entrer dans le magasin pour en demander le prix. Je n'ai peut-être pas assez d'argent pour acheter un objet de cette <u>valeur</u>.

Vanille

La <u>vanille</u> est le fruit d'une plante des pays chauds. C'est une longue gousse, noire quand elle a séché. On l'utilise pour donner du goût, en confiserie et en pâtisserie.

Vapeur

J'ai mis de l'eau à chauffer. Quand elle commence à bouillir, de la <u>vapeur</u> s'échappe par le bec de la bouilloire. Ce petit nuage qui flotte, c'est l'eau qui s'<u>évapore</u>, qui se transforme en <u>vapeur</u>, en très fines et très légères gouttelettes.

Veau

Le <u>veau</u> est un animal. C'est le nom du petit de la <u>vache</u> et du taureau pendant sa première année, qu'il soit mâle ou femelle.

Vendanger

Les raisins sont mûrs. Il est temps de les récolter, de <u>vendanger</u>. C'est l'époque des <u>vendanges</u>.
Les <u>vendangeurs</u> cueillent le raisin et le transportent au pressoir pour en faire du vin.

Vendre

Papa veut <u>vendre</u> sa voiture. S'il trouve un client qui paye le prix qu'il en demande, il achètera la nouvelle voiture mise en <u>vente</u> au Salon de l'Auto.
Le <u>vendeur</u> en dit beaucoup de bien, mais elle est vraiment très chère. Il en a déjà <u>vendu</u> beaucoup.

Venir

Veux-tu <u>venir</u> avec moi ? J'aimerais que tu m'accompagnes chez Cyril.
Tu y seras le <u>bienvenu</u> : il sera content de te voir chez lui. Nous serons <u>revenus</u> pour six heures : nous serons de retour avant le début du film à la télévision. J'espère qu'à partir de maintenant, à l'<u>avenir</u>, tu seras sage.

Vérité

Emmanuel ne croit pas que j'ai lu ce gros livre. C'est pourtant la <u>vérité</u> : je l'ai réellement lu entièrement.
Il raconte la <u>véritable</u> histoire d'une petite fille noire.
J'aime les histoires vraies, les histoires <u>véridiques</u>.

Verre

J'allais boire, mais mon <u>verre</u> est tombé. Il est cassé : mon <u>verre</u> est … en <u>verre</u>. C'est un matériau dur et transparent, fabriqué avec du sable par les <u>verriers</u>. Avec le <u>verre</u>, on fait les vitres, les <u>verres</u> de montres, les <u>verres</u> de lunettes, etc.

Verser

Une bouteille à la main, Séverine s'apprête à <u>verser</u> à boire. Elle l'incline au-dessus des verres qu'elle remplit d'orangeade. Cyril a <u>renversé</u> son verre qui se vide sur la table.

Vêtement

Maman a préparé mes <u>vêtements</u> et mes <u>sous-vêtements</u>, tout ce qu'il faut pour me <u>vêtir,</u> pour m'habiller.
Je m'habille pour ne pas avoir froid : je suis chaudement <u>vêtue</u>.

Viande

Nous achetons la <u>viande</u> chez le boucher, le charcutier ou le volailler. Ils vendent la chair des animaux élevés pour la nourriture des hommes.

Vider

Pénélope a vite fait de <u>vider</u> son assiette. Elle a mangé tout son potage, elle n'a rien laissé. Maintenant, elle tend son assiette <u>vide</u> pour que maman la remplisse avec quelque chose de bon.

Vieux

Je connais un <u>vieux</u> monsieur. Il a beaucoup de souvenirs, car il vit depuis longtemps déjà : la télévision n'existait même pas quand il est né !
Quand il était jeune, il faisait beaucoup de choses qu'il a peu à peu cessé de faire en <u>vieillissant</u>. Il habite une vieille maison, une maison ancienne.

Vigne

La <u>vigne</u> est un arbrisseau cultivé pour son fruit : le raisin. Le <u>vigneron</u> soigne son <u>vignoble</u>, sa plantation de <u>vignes</u>, et fait le vin avec le raisin qu'il récolte au moment des vendanges.

Ville

J'habite une <u>ville</u>. Ses larges rues sont bordées de grands immeubles d'habitation, de magasins et de bureaux. La circulation est incessante. ■ Je passe les vacances dans un petit <u>village</u> : quelques maisons autour d'une petite place et quelques fermes dispersées dans la campagne.

Vin

Le <u>vin</u> est une boisson obtenue par la transformation du jus de raisin. Il y a des <u>vins</u> blancs, rouges ou rosés.
On peut faire du <u>vinaigre</u> avec du <u>vin</u> et s'en servir pour assaisonner les salades.

Vis

J'utilise des <u>vis</u> pour fixer l'étagère. La partie de la tige qui pénètre dans le mur n'est pas lisse comme celle des clous. C'est une spirale qui permet de faire tourner la <u>vis</u> sur elle-même pour l'enfoncer. Pour <u>visser</u> et pour <u>dévisser</u>, on se sert généralement d'un <u>tournevis</u>.

Visage

Tourne ton <u>visage</u> vers moi. Je te <u>dévisage</u>, je regarde attentivement ta figure pour m'assurer que tu as bonne mine ce matin.

Vite

Fais <u>vite</u>, dépêche-toi de t'habiller : papa te conduit à l'école.
En voiture, tu iras plus <u>vite</u> qu'à pied. Grâce à la <u>vitesse</u> de la voiture, tu feras le parcours plus rapidement.

Vitre

Je découpe une plaque de verre pour remplacer la <u>vitre</u> brisée d'une fenêtre. Ensuite, j'irai à la librairie : j'ai remarqué en <u>vitrine</u>, à travers la paroi <u>vitrée</u> de la devanture, un livre qui m'a fait envie.

Vivre

Vostok est mort ; il a cessé de <u>vivre</u>. Je ne le verrai plus courir, je ne l'entendrai plus aboyer. Il a <u>vécu</u> près de moi durant toute sa <u>vie</u>, de sa naissance jusqu'à sa mort.

Voile

Manou m'emmène sur un bateau à <u>voile</u>. Je l'aide à hisser les <u>voiles</u> au mât du bateau. Le vent souffle, gonfle les <u>voiles</u> et fait avancer le <u>voilier</u>.

Voir

Ouvre les yeux, il y a tant de choses à <u>voir</u> autour de nous. Regarde qui vient te <u>voir</u>, te rendre visite : c'est Roland. Il est à peine <u>visible</u> encore : le <u>vois</u>-tu ? Mets tes lunettes, tu le <u>verras</u> mieux, ta <u>vue</u> sera améliorée. Je dois partir, mais j'espère te <u>revoir</u> bientôt : <u>au revoir</u> !

V

Voisin

Jérémie habite tout près de chez moi. Il est mon plus proche voisin. Nous allons facilement l'un chez l'autre.
■ Maman ne veut pas que je m'éloigne de chez nous. Elle veut que je reste dans le voisinage, tout près de chez nous.

Voiture

Mes arrière-grands-parents connaissaient encore les voitures à chevaux.
Elles ont laissé la place aux voitures automobiles, aux moteurs bruyants.

Voler

Les animaux ailés peuvent voler, se mouvoir dans l'air. L'oiseau bat des ailes : il va prendre son vol, s'envoler… Un avion vole dans le ciel et passe au-dessus de la ville : il la survole.

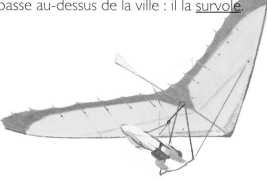

Voyager

Je suis allée dans un pays d'Afrique. Il faut voyager longtemps avant d'arriver. J'y suis allée et j'en suis revenue en avion : le voyage est long. Heureusement, il y avait d'autres voyageurs avec moi.

Vrai

Il paraît que tu t'es battu à l'école ? - C'est vrai, répond Jérémie, on t'a dit la vérité : je me suis vraiment battu ; je ne pouvais pas faire autrement, puisque j'étais attaqué.

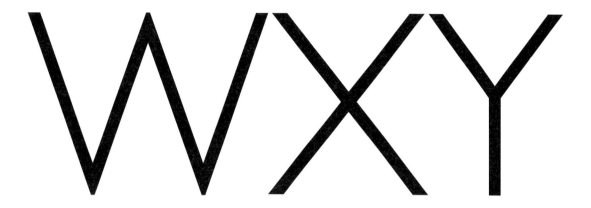

Wagon

La locomotive tire les <u>wagons</u> du train. Ce sont les voitures accrochées à la locomotive. Certains <u>wagons</u> transportent les voyageurs, d'autres sont des <u>wagons</u> de marchandises. Le courrier voyage dans le <u>wagon</u> postal.

Xylophone

Le <u>xylophone</u> est un instrument de musique composé de lamelles de bois de longueurs différentes mises côte à côte. On les frappe avec deux petits maillets pour produire les sons.

Yaourt

Le <u>yaourt</u> est un aliment obtenu par la transformation du lait. On peut l'acheter en petits pots et le consommer tel quel ou diversement parfumé. On peut aussi le faire chez soi.

Z

Zoo

Un <u>zoo</u> est un lieu fermé par des grilles où l'on fait vivre des animaux sauvages capturés dans la nature. On va au <u>zoo</u> pour voir des animaux qu'on ne verrait jamais autrement.

Zèbre

Le <u>zèbre</u> est un animal au pelage rayé de bandes noires ou brunes.
Sa silhouette est celle d'un petit cheval.
Il vit en Afrique. Il parcourt de longues distances en galopant rapidement.

Zut

Oh <u>zut</u> ! s'exclame Clémentine dépitée, j'ai fait tomber mon goûter dans le ruisseau, je n'ai plus rien à manger ! - Ne te mets pas en colère, ce n'est vraiment pas la peine ; tiens, je partage mon goûter avec toi, lui dit Séverine.

Si tu ne trouves pas le mot que tu cherches,

assure-toi qu'il n'est pas expliqué à l'intérieur
d'une autre définition.
Par exemple, tu trouveras *Bûcheron* en cherchant à *Bois*.
Tu découvriras ainsi plus de 1 000 mots
dans la liste ci-dessous.

Tu peux trouver :	En cherchant à :
A	
Abaisser	Bas
Abîmé	Abîmer
Aboiement	Aboyer
Abondamment	Abondance
Abondant	Abondance
Abordable	Bord
Abricotier	Abricot
Abriter	Abri
Accélérer	Accélérateur
Acceptable	Accepter
Achat	Acheter
Admiratif	Admirable
Admiration	Admirable
Admirer	Admirable
Adolescent	Enfant
Adosser (s')	Dos
Adresse	Adroit
Adroitement	Adroit
Adulte	Enfant
Affaiblissement	Faible
Affamé	Faim
Afficheur	Affiche
Agité	Agitation
Agricole	Agriculteur
Aide	Aider
Ailé	Aile
Aligné	Ligne
Allonger	Long
Allumer	Lumière
Amicalement	Ami

Amitié	Ami
Amour	Aimer
Amoureux	Aimer
An	Anniversaire
Anciennement	Ancien
Anesse	Ane
Année	Anniversaire
Anon	Ane
Aplani	Plaine
Aplatir	Plat
Appel	Appeler
Applaudissement	Applaudir
Apprivoisé	Apprivoiser
Approvisionnement	Provision
Après-midi	Midi
Aquatique	Aquarium
Arbrisseau	Arbre
Archer	Arc
Armer	Arme
Arrachage	Arracher
Arrivée	Arriver
Arrosage	Arroser
Ascension	Ascenseur
Aspirateur	Aspirer
Asseoir	Siège
Assombri	Sombre
Assortir	Sorte
Assouplissement	Souple
Astronaute	Astre
Astronomique	Astre
Astucieux	Astuce
Attablé	Table
Attache	Attacher

Attarder (s')	Tard
Attente	Attendre
Attentif	Attention
Attentivement	Attention
Attirance	Attirer
Attirant	Attirer
Attirer	Tirer
Attroupé	Troupeau
Audacieux	Audace
Au revoir	Voir
Automobiliste	Automobile
Autoroute	Route
Autour	Tour
Avance	Avancer
Avant	Avancer
Avenir	Venir
Aventureux	Aventure
B	
Baignade	Bain
Baignoire	Bain
Balai	Balayer
Balancement	Balançoire
Balancer (se)	Balançoire
Balancier	Balançoire
Balayage	Balayer
Balayure	Balayer
Baleineau	Baleine
Bananier	Banane
Barbichette	Barbe
Barbu	Barbe
Bataille	Battre
Batailleur	Battre
Bâtiment	Bâtir

Tu peux trouver :	En cherchant à :
Bavardage	Bavarder
Beauté	Beau
Bébé	Enfant
Becquée	Bec
Bêlement	Bêler
Bélier	Agneau
Belle	Beau
Berceau	Bercer
Berceuse	Bercer
Bergerie	Berger
Betterave sucrière	Sucre
Beurré	Beurre
Beurrer	Beurre
Beurrier	Beurre
Bibliothécaire	Bibliothèque
Bienvenu	Venir
Blessé	Blesser
Blessure	Blesser
Boiserie	Bois
Bond	Bondir
Bonheur	Heureux
Bonsoir	Soir
Bordure	Bord
Botteler	Botte
Boucher-Bouchère	Boucherie
Bouchon	Boucher
Boulangerie	Boulanger
Bourgeonner	Bourgeon
Bousculade	Bousculer
Bovin	Bœuf
Branchage	Branche
Branchu	Branche
Bras	Embrasser
Bravement	Brave
Bravoure	Brave
Brebis	Agneau
Bricoleuse	Bricoler
Brosser	Brosse
Brûlant	Brûler
Brûlure	Brûler
Brusquement	Brusque
Brusquerie	Brusque
Bûcheron	Bois

C

Cache-cache	Cacher
Caché	Cacher
Cachette	Cacher
Cadencé	Cadence
Caméra	Cinéma
Camionneur	Camion
Campagne	Champ
Campeur	Camper
Camping	Camper
Canne à sucre	Sucre
Capricieux	Caprice
Cavalier-Cavalière	Cheval
Cendrier	Cendre
Cerceau	Cercle
Cerf	Biche
Cerisier	Cerise
Chagriner	Chagrin
Chahut	Chahuter
Chaleur	Chaud
Champ de foire	Foire
Championnat	Champion
Changeant-Changeante	Changer
Chanson	Chanter
Chant	Chanter
Chanteur-Chanteuse	Chanter
Chargement	Charger
Chasse	Chasser
Chasseur	Chasser
Chaton	Chat
Chatte	Chat
Chaudement	Chaud
Chauffage	Chaud
Chaussette	Chausser
Chausson	Chausser
Chaussure	Chausser
Chevelure	Cheveu
Chevreau	Chèvre
Chienne	Chien
Chiffonné	Chiffon
Chiffrer	Chiffre
Chiot	Chien
Chocolaté	Chocolat

Choix	Choisir
Chômeur	Chômage
Chuchotement	Chuchoter
Cicatrisé	Cicatrice
Circulation	Circuler
Cisailles	Ciseaux
Citronnade	Citron
Citronnier	Citron
Clarté	Clair
Clignotant	Clignoter
Clouer	Clou
Cocon	Chenille
Coiffeur	Coiffer
Coiffure	Coiffer
Coléreux-Coléreuse	Colère
Collectif	Individuel
Collectionner	Collection
Collectionneur	Collection
Commencement	Commencer
Compagne	Accompagner
Compagnie	Accompagner
Complication	Compliqué
Compliquer	Compliqué
Compréhensible	Comprendre
Compte	Compter
Confiance	Confier
Connaissance	Connaître
Consolé	Consoler
Construction	Construire
Contenter	Content
Continu	Continuer
Continuellement	Continuer
Contrairement	Contraire
Cordelière	Corde
Correction	Corriger
Cou	Col
Couchage	Coucher
Couchette	Coucher
Coupure	Couper
Courageusement	Courage
Coureur	Courir
Course	Courir
Coutelier	Couteau

Tu peux trouver	En cherchant à
Couture	Coudre
Couvercle	Couvrir
Couverture	Couvrir
Craintif-Craintive	Craindre
Crayon	Craie
Creux	Creuser
Cri	Crier
Crin	Crinière
Cueillette	Cueillir
Cuillerée	Cuillère
Cuisiner	Cuisine
Cuisinière	Cuisine
Cuisson	Cuire
Cuit	Cuire
Cultivateur	Cultiver
Culture	Cultiver
Curiosité	Curieux

D

Tu peux trouver	En cherchant à
Damier	Dame
Dangereux	Danger
Danse	Danser
Danseuse	Danser
Débarquer	Barque
Déboiser	Bois
Déborder	Bord
Déboucher	Boucher
Débrouillard	Débrouiller
Débuter	Début
Décalqué	Décalcomanie
Décharger	Charge
Déchiré	Déchirer
Déchirure	Déchirer
Décision	Décider
Décoiffé	Coiffer
Décolleté	Col
Décoration	Décorer
Découpage	Couper
Découper	Couper
Décourager	Courage
Décousu	Coudre
Découvert	Couvrir
Découvrir	Découverte
Déçu	Déception

Tu peux trouver	En cherchant à
Défense	Défendre
Défenseur	Défendre
Défiler	Défilé
Dégonfler	Gonfler
Dégoûtant	Goûter
Déguisé	Déguiser
Déguisement	Déguiser
Démarche	Marcher
Démarrage	Démarrer
Démarreur	Démarrer
Déménageur	Déménager
Demeure	Demeurer
Démolition	Démolir
Démouler	Moule
Dénombrer	Nombre
Dénoyauter	Noyau
Dentiste	Dent
Dénudé	Nu
Dépanné	Panne
Départ	Partir
Dépensier-Dépensière	Dépenser
Dérangement	Déranger
Désagréable	Agréable
Descente	Descendre
Déshabiller	Habiller
Désir	Désirer
Désobéir	Obéir
Désordre	Ordre
Dessécher	Sécher
Dessin	Dessiner
Détachant	Tacher
Détacher	Tacher
Détacher	Attacher
Devinette	Deviner
Dévisager	Visage
Dévisser	Vis
Différence	Différent
Difficulté	Difficile
Diminutif	Diminuer
Dindon	Dinde
Dindonneau	Dinde
Directement	Direction
Discussion	Discuter

Tu peux trouver	En cherchant à
Disparaître	Paraître
Disputer (se)	Dispute
Dissemblable	Sembler
Distraction	Distraire
Distrait	Distraire
Distribution	Distribuer
Dompter	Dompteur
Dossier	Dos
Doucement	Doux
Douceur	Doux
Doucher	Douche
Drapeau	Drap
Dressé	Dresser
Droite (à)	Droit
Drôlement	Drôle
Drôlerie	Drôle
Durci	Dur
Durée	Durer

E

Tu peux trouver	En cherchant à
Ébloui	Éblouir
Éblouissant	Éblouir
Ébouriffer	Ébouriffé
Ébrancher	Branche
Écarter	Écart
Échange	Changer
Échelon	Échelle
Échevelé	Cheveu
Éclaboussure	Éclabousser
Éclairage	Éclairer
Écolier	École
Écorchure	Écorcher
Écouteur	Écouter
Écrémer	Crème
Écriture	Écrire
Effilocher	Fil
Efforcer (s')	Effort
Effrayant	Frayeur
Effrayé	Frayeur
Égaler	Égal
Égayer	Gai
Élancer (s')	Élan
Élargir	Large
Électricien	Électricité

Tu peux trouver :   En cherchant à :

Tu peux trouver :	En cherchant à :
Fumer	Fumée
G	
Gaieté	Gai
Galop	Galoper
Galopade	Galoper
Garagiste	Garage
Garde	Garder
Garde forestier	Forêt
Gardien-Gardienne	Garder
Garer	Garage
Gaucher-Gauchère	Gauche
Gel	Geler
Gelé	Geler
Générosité	Généreux
Germination	Germer
Gifle	Gifler
Gigantesque	Géant
Glacial	Glace
Glaçon	Glace
Glissade	Glisser
Gorgée	Gorge
Gourmandise	Gourmand
Goût	Goûter
Grandir	Grand
Grappiller	Grappe
Gratuitement	Gratuit
Gréviste	Grève
Grillage	Grille
Grillager	Grille
Grimaçant	Grimace
Grognon	Grogner
Grondement	Gronder
Grosseur	Gros
Grossir	Gros
Groupé	Groupe
Guéri	Guérir
Guérison	Guérir
Guet	Guetter
H	
Habileté	Habile
Habituel	Habitude
Habituellement	Habitude
Hachis	Hacher

Tu peux trouver :	En cherchant à :
Hachoir	Hacher
Hauteur	Haut
Hebdomadaire	Quotidien
Herbier	Herbe
Hésitation	Hésiter
Hospitalisation	Hôpital
Hospitalisé	Hôpital
Housse	Drap
Humain	Homme
Hurlement	Hurler
I	
Ignorance	Ignorer
Illustration	Illustrer
Imaginaire	Imaginer
Imaginatif	Imaginer
Imagination	Imaginer
Imitation	Imiter
Immédiat	Immédiatement
Immobile	Mobile
Impatient-Impatiente	Patient
Importance	Important
Imprimé	Imprimer
Imprimerie	Imprimer
Imprimeur	Imprimer
Imprudence	Prudent
Incassable	Cassé
Inclinaison	Incliner
Incompréhension	Comprendre
Inconnu	Connaître
Indiquer	Index
Indiscutablement	Discuter
Indomptable	Dompter
Inexact	Exact
Infatigable	Fatiguer
Informe	Forme
Informer	Information
Infirmerie	Infirmière
Inimitable	Imiter
Injustement	Juste
Injustice	Juste
Inodore	Odeur
Inondation	Inonder
Inquiétude	Inquiet

Tu peux trouver :	En cherchant à :
Insaisissable	Saisir
Insecticide	Insecte
Insistance	Insister
Installation	Installer
Institutrice	Instituteur
Insuffisant	Suffire
Intelligence	Intelligent
Interdiction	Interdire
Interdit	Interdire
Intéressant	Intérêt
Intéresser	Intérêt
Intérieur	Extérieur
Interrogation	Interroger
Introuvable	Trouver
Invention	Inventer
Invitation	Inviter
Ironiser	Ironie
Irréparable	Réparer
Isolement	Isoler
J	
Jalouser	Jaloux
Jalousie	Jaloux
Jardiner	Jardin
Jardinier	Jardin
Jardinage	Jardin
Jars	Oie
Jeun (à)	Jeûner
Jeunesse	Jeune
Joliment	Joli
Jonglerie	Jongler
Jongleur	Jongler
Jouer	Jouet
Jour	Journal
Journaliste	Journal
Joyeux	Joie
Jument	Cheval
K	
Kilogramme	Kilo
Kilomètre	Kilo
L	
Labourage	Labourer
Laboureur	Labourer
Lacer	Lacet

233

Tu peux trouver :	En cherchant à :
Ourson	Ours
Outillage	Outil
Outillé	Outil

P

Paiement	Payer
Paisible	Paix
Palmier-dattier	Datte
Pamplemoussier	Pamplemousse
Papillon	Chenille
Parachutiste	Parachute
Parapluie	Pluie
Pareillement	Pareil
Parents	Fils
Paresse	Paresseux
Parfumé	Parfum
Parfumerie	Parfum
Parole	Parler
Part	Partager
Partage	Partager
Passage	Passer
Passant	Passer
Patiemment	Patient
Patience	Patient
Patinage	Patin
Patinoire	Patin
Pâtisserie	Pâte
Paume	Doigt
Paysage	Pays
Pêcher	Pêche
Pédale	Pédaler
Peigné	Peigne
Peintre	Peindre
Peinture	Peindre
Pelletée	Pelle
Pensif-Pensive	Penser
Permission	Permettre
Pesant	Peser
Peuplé	Peuple
Peureux-Peureuse	Peur
Peut-être	Pouvoir
Pharmacie	Pharmacien
Photographie	Photographier
Photographique	Photographier

Tu peux trouver :	En cherchant à :
Piéton	Pied
Pincée	Pincer
Piquant-Piquante	Piquer
Piqûre	Piquer
Plainte	Plaindre
Plaintif-Plaintive	Plaindre
Plantation	Plante
Planter	Plante
Pleur	Pleurer
Pli	Plier
Pliure	Plier
Plomberie	Plomb
Plombier	Plomb
Plongeoir	Plonger
Plongeon	Plonger
Plumage	Plume
Pluvieux	Pluie
Poème	Poésie
Poète	Poésie
Poignée	Poing
Poilu	Poil
Pointu-Pointue	Pointe
Poirier	Poire
Pommier	Pomme
Pompiste	Pompe
Porc	Cochon
Porcelet	Porc
Porte-clé	Clé
Porteur	Porter
Postal	Poste
Postier	Poste
Potage	Pot
Potager	Pot
Poterie	Pot
Poulain	Cheval
Poule	Coq
Pourri	Pourrir
Poussée	Pousser
Poussette	Pousser
Poussiéreux-Poussiéreuse	Poussière
Poussin	Coq
Préféré-Préférée	Préférer
Prénom	Nom

Tu peux trouver :	En cherchant à :
Pressé-Pressée	Presser
Prochainement	Prochain
Profond	Fond
Profondément	Fond
Profondeur	Profond
Progresser	Progrès
Promenade	Promener
Promeneur-Promeneuse	Promeneur
Promesse	Promettre
Proprement	Propre
Protection	Protéger
Protégé-Protégée	Protéger
Prudemment	Prudent
Prunier	Prune
Puni-Punie	Punir
Punition	Punir

Q

Quatre	Quart
Quereller (se)	Querelle

R

Rafraîchir	Frais
Ranger	Déranger
Rapidement	Rapide
Rapprocher	Approcher
Ras	Raser
Rasoir	Raser
Rattacher	Attacher
Rattraper	Attraper
Rayé-rayée	Raie
Rayonnage	Rayon
Rayure	Raie
Reboiser	Bois
Rebondir	Bondir
Réchauffer	Chaud
Recherche	Chercher
Récit	Réciter
Réclamation	Réclamer
Récolte	Récolter
Récompense	Récompenser
Recoudre	Coudre
Reculons (à)	Reculer
Réflexion	Réfléchir
Refroidir	Froid

Tu peux trouver :	En cherchant à :						
Tartelette	Tarte	*Tranquillité*	Tranquille	*Valeur*	Valoir
Tartine	Tarte	*Transformer*	Former	*Vendange*	Vendanger
Taureau	Vache	*Transporter*	Porter	*Vendangeur*	Vendanger
Téléphoner	Téléphone	*Travail*	Travailler	*Vendeur*	Vendr
Téléviseur	Télévision	*Travailleur-Travailleuse*	Travailler	*Vente*	Vendre
Tendrement	Tendre	*Travers*	Traverser	*Véridique*	Vérité
Tendresse	Tendre	*Traversée*	Traverser	*Véritable*	Vérité
Tendu	Tendre	*Traversière*	Traverser	*Verrier*	Verre
Terminus	Terminer	*Tremblant*	Trembler	*Vêtir*	Vêtement
Terrier	Terre	*Tremblement*	Trembler	*Vêtu*	Vêtement
Terrifier	Terrible	*Trempé-Trempée*	Tremper	*Vide*	Vider
Tétine	Téter	*Tri*	Trier	*Vie*	Vivre
Théière	Thé	*Tricot*	Tricoter	*Vieillissant*	Vieux
Tiédir	Tiède	*Tristement*	Triste	*Vigneron*	Vigne
Tigresse	Tigre	*Tristesse*	Triste	*Vignoble*	Vigne
Tire-bouchon	Tirer	*Tromperie*	Tromper	*Village*	Ville
Tiroir	Tirer	*Trottinette*	Trotter	*Vinaigre*	Vin
Tissage	Tisser	*Trottoir*	Trotter	*Visible*	Voir
Tisserand	Tisser	*Trouvaille*	Trouver	*Visser*	Vis
Tissu	Tisser	*Truie*	Cochon	*Vitesse*	Vite
Torrentiel	Torrent	**U**		*Vitré*	Vitre
Torsade	Tordre	*Urgence*	Urgent	*Vitrine*	Vitre
Torsion	Tordre	*Usage*	User	*Voilier*	Voile
Tournant	Tourner	*Usé-Usée*	User	*Voisinage*	Voisin
Tournevis	Vis	*Utilement*	Utile	*Vol*	Voler
Toux	Tousser	*Utilisable*	Utile	*Voyage*	Voyager
Tranchant	Tranche	*Utiliser*	Utile	*Vrai*	Faux
Trancher	Tranche	**V**		*Vraiment*	Vrai
Tranquillisé	Tranquille	*Vainqueur*	Champion	*Vu*	Voir

Achevé d'imprimer sur les presses de l'imprimerie Lamour à Maxeville (Nancy)
ISBN -2.01.019700..3. - 29.17.1235.01/0 - Dépôt légal 537.09.92.
Loi n° 49.956 du 16 juillet 1949 sur les publications destinées à la jeunesse. Dépôt : 09.92.

443   Finifter, Germain E.
FIN   L'attrope mots